교과서 GO! 사고력 GO!

# GO! 매쓰

## Jump
유형 사고력

# 수학 2-2

# 차례

# 구성과 특징

## 1 핵심 개념 정리

단원별 핵심 개념을 간결하게 정리하여 한눈에 이해할 수 있습니다.

## 2 대표 유형 익히기

단원별 사고력 문제의 대표 유형을 뽑아 수록하였습니다. 단계에 따라 문제를 해결하면 사고력 문제도 스스로 해결할 수 있습니다.

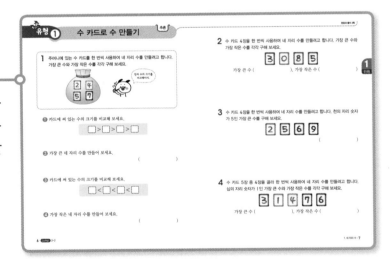

## 3 사고력 종합평가

한 단원을 학습한 후 종합평가를 통하여 단원에 해당하는 사고력 문제를 잘 이해하였는지 평가할 수 있습니다.

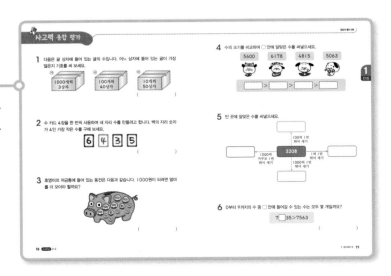

# 1 네 자리 수

❖ **100이 10개인 수**

100이 10개이면 1000(천)입니다.

❖ **몇천**

1000이 2개 ➡ 2000 (이천)
1000이 3개 ➡ 3000 (삼천)
1000이 4개 ➡ 4000 (사천)
1000이 5개 ➡ 5000 (오천)
1000이 6개 ➡ 6000 (육천)
1000이 7개 ➡ 7000 (칠천)
1000이 8개 ➡ 8000 (팔천)
1000이 9개 ➡ 9000 (구천)

❖ **네 자리 수**

1000이 5개, 100이 7개, 10이 3개,
1이 2개 ➡ 5732 (오천칠백삼십이)

❖ **각 자리의 숫자가 나타내는 값**

| 천의<br>자리 | 백의<br>자리 | 십의<br>자리 | 일의<br>자리 |
|---|---|---|---|
| 4 | 9 | 1 | 6 |

4(천의 자리 숫자): 4000을 나타냅니다.
9(백의 자리 숫자): 900을 나타냅니다.
1(십의 자리 숫자): 10을 나타냅니다.
6(일의 자리 숫자): 6을 나타냅니다.
➡ 4916=4000+900+10+6

❖ **뛰어 세기**

• 1000씩 뛰어 세기

1000 – 2000 – 3000 – 4000 –
– 5000 – 6000 – 7000

• 100씩 뛰어 세기

7100 – 7200 – 7300 – 7400 –
– 7500 – 7600 – 7700

• 10씩 뛰어 세기

7710 – 7720 – 7730 – 7740 –
– 7750 – 7760 – 7770

• 1씩 뛰어 세기

7771 – 7772 – 7773 – 7774 –
– 7775 – 7776 – 7777

❖ **수의 크기 비교**

• 5479와 5482의 크기 비교
천, 백의 자리 숫자가 같으므로 십의 자리 숫자를 비교하면 7<8입니다.
➡ 5479<5482

# 유형 ① 수 카드로 수 만들기

추론

**1** 주머니에 있는 수 카드를 한 번씩 사용하여 네 자리 수를 만들려고 합니다. 가장 큰 수와 가장 작은 수를 각각 구해 보세요.

> 2 4 5 7

먼저 수의 크기를 비교해야지.

아하!

❶ 카드에 써 있는 수의 크기를 비교해 보세요.

$$\boxed{\phantom{0}} > \boxed{\phantom{0}} > \boxed{\phantom{0}} > \boxed{\phantom{0}}$$

❷ 가장 큰 네 자리 수를 만들어 보세요.

( )

❸ 카드에 써 있는 수의 크기를 비교해 보세요.

$$\boxed{\phantom{0}} < \boxed{\phantom{0}} < \boxed{\phantom{0}} < \boxed{\phantom{0}}$$

❹ 가장 작은 네 자리 수를 만들어 보세요.

( )

**2** 수 카드 4장을 한 번씩 사용하여 네 자리 수를 만들려고 합니다. 가장 큰 수와 가장 작은 수를 각각 구해 보세요.

가장 큰 수 (                    ), 가장 작은 수 (                    )

**3** 수 카드 4장을 한 번씩 사용하여 네 자리 수를 만들려고 합니다. 천의 자리 숫자가 5인 가장 큰 수를 구해 보세요.

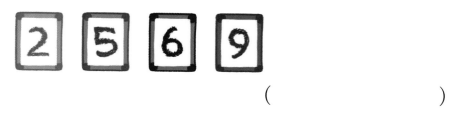

(                    )

**4** 수 카드 5장 중 4장을 골라 한 번씩 사용하여 네 자리 수를 만들려고 합니다. 십의 자리 숫자가 1인 가장 큰 수와 가장 작은 수를 각각 구해 보세요.

가장 큰 수 (                    ), 가장 작은 수 (                    )

**1** 어떤 수에서 100씩 5번 뛰어 세면 6000이 됩니다. 어떤 수는 얼마인지 구해 보세요.

어떤 수 — ☐ — ☐ — ☐ — ☐ — 6000

**❶** 다음과 같이 뛰어 세면 어느 자리 숫자가 몇씩 커질까요?

1000씩 뛰어 세면 ( 천 , 백 , 십 , 일 )의 자리 숫자가 ☐씩 커집니다.

100씩 뛰어 세면 ( 천 , 백 , 십 , 일 )의 자리 숫자가 ☐씩 커집니다.

10씩 뛰어 세면 ( 천 , 백 , 십 , 일 )의 자리 숫자가 ☐씩 커집니다.

1씩 뛰어 세면 ( 천 , 백 , 십 , 일 )의 자리 숫자가 ☐씩 커집니다.

**❷** ☐ 안에 알맞은 수를 써넣으세요.

6000에서 ☐씩 거꾸로 ☐번 뛰어 셉니다.

**❸** ❷에서 얘기한 방법으로 뛰어 세어 보세요.

6000 — ☐ — ☐ — ☐ — ☐ — ☐

**❹** 어떤 수는 얼마일까요?

(       )

**2** 어떤 수에서 1000씩 거꾸로 3번 뛰어 세면 5000이 됩니다. 어떤 수는 얼마 일까요?

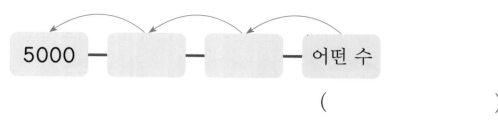

(            )

**3** 영미는 일주일마다 용돈을 1500원씩 받습니다. 영미가 5000원짜리 인형을 사려면 용돈을 적어도 몇 주일 동안 모아야 할까요?

(            )

**4** 호동이는 매월 용돈을 2000원씩 받습니다. 호동이가 8월부터 받은 용돈을 모 은다면 7000원짜리 게임 카드는 몇 월에 살 수 있을까요?

(            )

1 단원

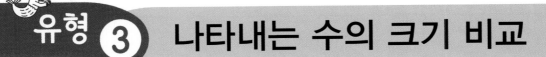

## 유형 ③ 나타내는 수의 크기 비교

**1** 수의 크기를 비교하여 □ 안에 알맞은 수를 써넣으세요.

2516  4096  3870  5000

| 5000 | > | 4096 | > | 3870 | > | 2516 |

5>4    4>3    3>2

❶

4718  3915  4689  3920

☐ > ☐ > ☐ > ☐

❷

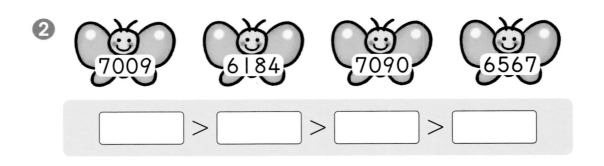

7009  6184  7090  6567

☐ > ☐ > ☐ > ☐

❸

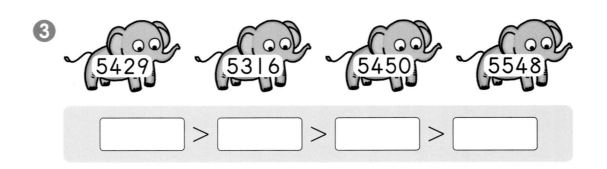

5429  5316  5450  5548

☐ > ☐ > ☐ > ☐

**2** 농장에 있는 닭의 수를 나타낸 것입니다. 닭이 가장 많은 농장과 가장 적은 농장을 각각 찾아 써 보세요.

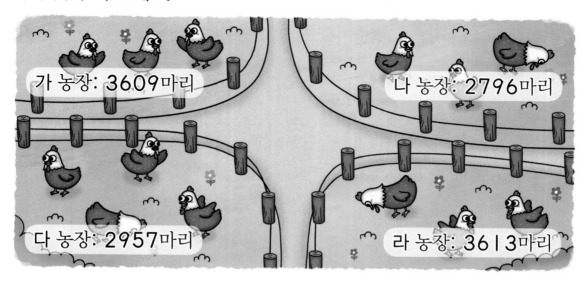

가 농장: 3609마리

나 농장: 2796마리

다 농장: 2957마리

라 농장: 3613마리

가장 많은 농장 (　　　　　　　　)

가장 적은 농장 (　　　　　　　　)

**3** 공에 써 있는 수를 큰 수부터 차례로 나열할 때 두 번째로 작은 수에서 숫자 7이 나타내는 값을 구해 보세요.

( 　　　　　　　　 )

**1** 숫자 6이 나타내는 값이 가장 작은 수를 찾아 써 보세요.

| 7634 | 9506 | 6819 | 3264 |

❶ 7634에서 숫자 6은 어느 자리 숫자이고 나타내는 값은 얼마일까요?

　　　　　　　( 　　　　　　　　)의 자리 숫자, ( 　　　　　　　　)

❷ 9506에서 숫자 6은 어느 자리 숫자이고 나타내는 값은 얼마일까요?

　　　　　　　( 　　　　　　　　)의 자리 숫자, ( 　　　　　　　　)

❸ 6819에서 숫자 6은 어느 자리 숫자이고 나타내는 값은 얼마일까요?

　　　　　　　( 　　　　　　　　)의 자리 숫자, ( 　　　　　　　　)

❹ 3264에서 숫자 6은 어느 자리 숫자이고 나타내는 값은 얼마일까요?

　　　　　　　( 　　　　　　　　)의 자리 숫자, ( 　　　　　　　　)

❺ 숫자 6이 나타내는 값이 가장 작은 수는 얼마일까요?

　　　　　　　　　　　　　　　　　　( 　　　　　　　　)

**2** 주어진 네 자리 수에서 두 동물이 선택한 수 카드의 숫자가 나타내는 값의 합을 구해 보세요.

(1)

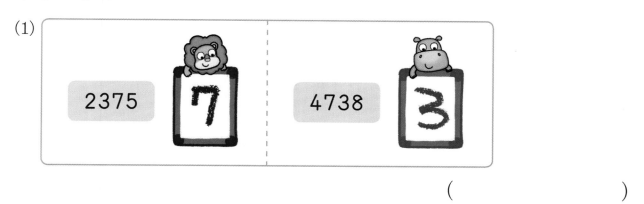

(             )

(2)

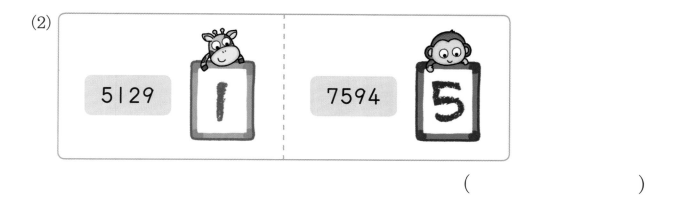

(             )

**3** 다음 네 자리 수에서 밑줄 친 숫자가 나타내는 값의 합을 구해 보세요.

(1)      3<u>4</u>91      <u>5</u>280      60<u>3</u>9      975<u>4</u>

(             )

(2)      8<u>5</u>20      301<u>7</u>      <u>4</u>889      1<u>6</u>35

(             )

**1** 규칙을 보고 빈 곳에 알맞은 수를 써넣으세요.

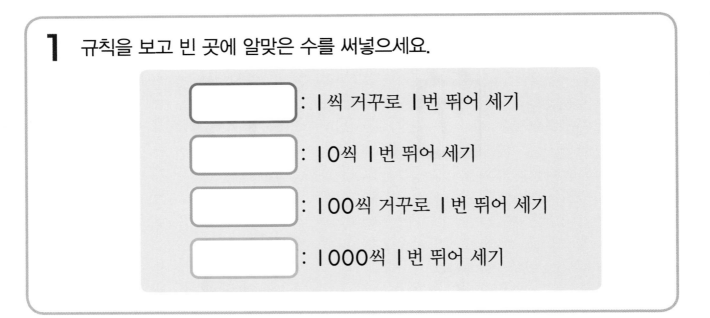

| | |
|---|---|
| [　　] | : 1씩 거꾸로 1번 뛰어 세기 |
| [　　] | : 10씩 1번 뛰어 세기 |
| [　　] | : 100씩 거꾸로 1번 뛰어 세기 |
| [　　] | : 1000씩 1번 뛰어 세기 |

❶

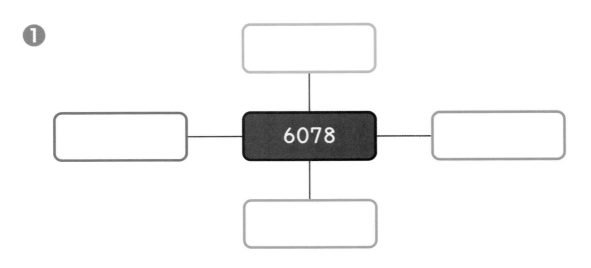

6078

❷

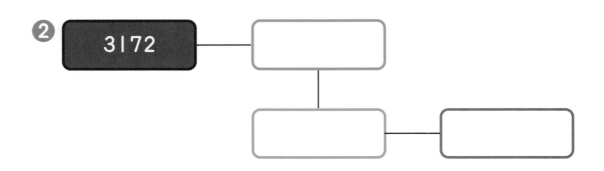

3172

**2** 규칙을 보고 빈 곳에 알맞은 수를 써넣으세요.

|  | : 1씩 1번 뛰어 세기 |
|---|---|
|  | : 10씩 거꾸로 1번 뛰어 세기 |
|  | : 100씩 1번 뛰어 세기 |
|  | : 1000씩 거꾸로 1번 뛰어 세기 |

(1)

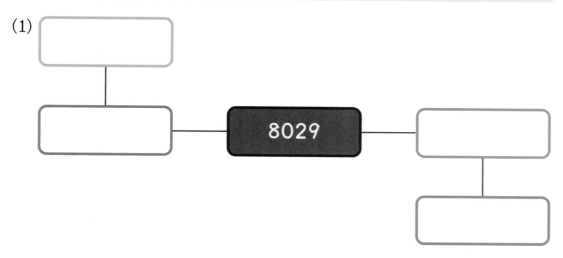

(2)

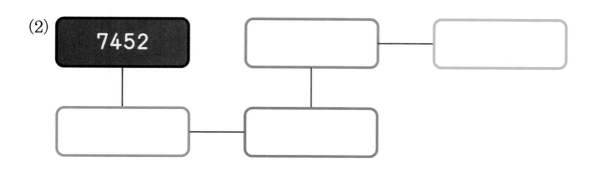

# 주사위가 나타내는 수

1 표에서 빨간색 주사위와 파란색 주사위의 두 눈이 만나는 곳에 있는 수를 찾아 물음에 답하세요. (예를 들어 ⚀과 ⚂이 만나는 곳에 있는 수는 1530입니다.)

| 주사위 | ⚀ | ⚁ | ⚂ | ⚃ |
|---|---|---|---|---|
| ⚀ | 5239 | 2097 | 1530 | 6548 |
| ⚁ | 7945 | 4108 | 3675 | 9166 |
| ⚂ | 6391 | 8092 | 1094 | 5816 |

❶ 주사위의 두 눈이 다음과 같을 때 만나는 곳에 있는 수를 찾아 ☐ 안에 써 넣고, 크기를 비교하여 ◯ 안에 > 또는 <를 알맞게 써넣으세요.

☐ ◯ ☐

❷ 주사위의 두 눈이 다음과 같을 때 만나는 곳에 있는 수를 찾아 ☐ 안에 써 넣고, 가장 큰 수를 써 보세요.

☐ ☐ ☐

가장 큰 수 (                    )

**2** 표에서 빨간색 주사위와 파란색 주사위의 두 눈이 만나는 곳에 있는 수를 찾아 물음에 답하세요.

| 주사위 | | | | | |
|---|---|---|---|---|---|
| | 3914 | 2765 | 7386 | 5297 | 4673 |
| | 8705 | 6187 | 1976 | 9019 | 2802 |
| | 5987 | 4946 | 8738 | 3475 | 6129 |
| | 9871 | 1789 | 2937 | 5380 | 7452 |

(1) 주사위의 두 눈이 다음과 같을 때 만나는 곳에 있는 수를 찾아 ☐ 안에 써넣고, 가장 작은 수를 써 보세요.

가장 작은 수 (            )

(2) 주사위의 두 눈이 다음과 같을 때 만나는 곳에 있는 수를 찾아 ☐ 안에 써넣고, 찾은 수에서 숫자 **7**이 나타내는 값의 합을 구해 보세요.

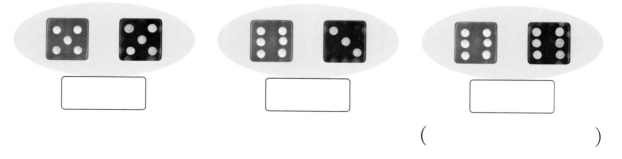

(            )

**1** 다음은 귤 상자에 들어 있는 귤의 수입니다. 어느 상자에 들어 있는 귤이 가장 많은지 기호를 써 보세요.

㉮ 1000개씩 3상자    ㉯ 100개씩 40상자    ㉰ 10개씩 50상자

(         )

**2** 수 카드 4장을 한 번씩 사용하여 네 자리 수를 만들려고 합니다. 백의 자리 숫자가 4인 가장 작은 수를 구해 보세요.

6  4  3  5

(         )

**3** 호영이의 저금통에 들어 있는 동전은 다음과 같습니다. 1000원이 되려면 얼마를 더 모아야 할까요?

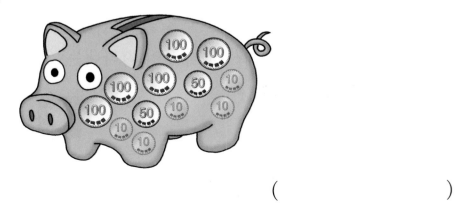

(         )

**4** 수의 크기를 비교하여 ☐ 안에 알맞은 수를 써넣으세요.

| 5600 | 6178 | 4815 | 5063 |

☐ > ☐ > ☐ > ☐

**5** 빈 곳에 알맞은 수를 써넣으세요.

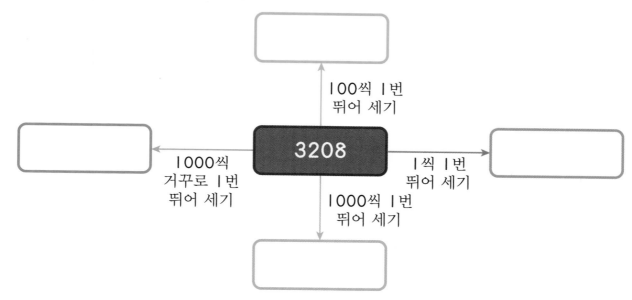

100씩 1번
뛰어 세기

1000씩
거꾸로 1번
뛰어 세기

3208

1씩 1번
뛰어 세기

1000씩 1번
뛰어 세기

**6** 0부터 9까지의 수 중 ☐ 안에 들어갈 수 있는 수는 모두 몇 개일까요?

7☐35＞7563

( )

**7** 다음이 나타내는 수를 구해 보세요.

> 1000이 7개, 100이 13개, 10이 22개, 1이 15개인 수

(            )

**8** 어떤 수에서 200씩 4번 뛰어 세면 8000이 됩니다. 어떤 수는 얼마인지 구해 보세요.

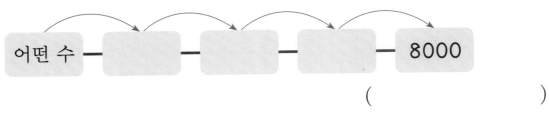

어떤 수                    8000

(            )

**9** 밑줄 친 두 숫자가 나타내는 값의 합과 차를 각각 구해 보세요.

> 6<u>7</u>15      3<u>2</u>48

합 (            )

차 (            )

**10** 다음 네 자리 수에서 밑줄 친 숫자가 나타내는 값의 합을 구해 보세요.

| 5289 | 4760 | 7695 | 1384 |

(                                )

**1**
단원

[11~12] 표에서 빨간색 주사위와 파란색 주사위의 두 눈이 만나는 곳에 있는 수를 찾아 물음에 답하세요.

| 주사위 | ⚀ | ⚁ | ⚂ | ⚃ | ⚄ | ⚅ |
|--------|------|------|------|------|------|------|
| ⚂ | 4087 | 2911 | 8403 | 7624 | 5900 | 3735 |
| ⚅ | 3940 | 7618 | 6090 | 1882 | 9009 | 2756 |

**11** 주사위의 두 눈이 다음과 같을 때 만나는 곳에 있는 수를 찾아 □ 안에 써넣고, 크기를 비교하여 ○ 안에 > 또는 <를 알맞게 써넣으세요.

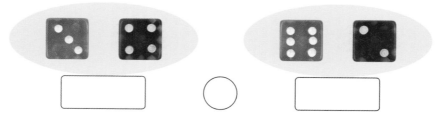

**12** 가은이와 상혁이가 선택한 주사위의 두 눈이 다음과 같습니다. 주사위의 두 눈이 만나는 곳에 있는 수를 찾으면 상혁이가 찾은 수는 가은이가 찾은 수보다 크다고 합니다. 상혁이의 파란색 주사위로 알맞은 것에 모두 ○표 하세요.

[13~14] 수 모형 8개 중 4개를 사용하여 나타낼 수 있는 네 자리 수를 모두 구하려고 합니다. 물음에 답하세요.

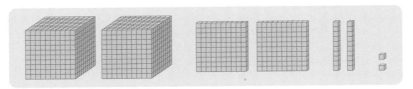

**13** 천의 자리 숫자가 2인 네 자리 수를 모두 써 보세요.

(                )

**14** 천의 자리 숫자가 1인 네 자리 수를 모두 써 보세요.

(                )

**15** 동물들이 같은 네 자리 수를 보고 한 말입니다. 어떤 네 자리 수인지 써 보세요.

천의 자리 숫자는 6보다 크고 8보다 작습니다.

십의 자리 숫자는 천의 자리 숫자보다 큽니다.

백의 자리 숫자는 십의 자리 숫자보다 큽니다.

일의 자리 숫자는 백의 자리 숫자와 같습니다.

(                )

# ② 곱셈구구

## ❖ 2단 곱셈구구

| × | 1 | 2 | 3 | 4 | 5 | 6 | 7 | 8 | 9 |
|---|---|---|---|---|---|---|---|---|---|
| 2 | 2 | 4 | 6 | 8 | 10 | 12 | 14 | 16 | 18 |

## ❖ 5단 곱셈구구

| × | 1 | 2 | 3 | 4 | 5 | 6 | 7 | 8 | 9 |
|---|---|---|---|---|---|---|---|---|---|
| 5 | 5 | 10 | 15 | 20 | 25 | 30 | 35 | 40 | 45 |

## ❖ 3단 곱셈구구

| × | 1 | 2 | 3 | 4 | 5 | 6 | 7 | 8 | 9 |
|---|---|---|---|---|---|---|---|---|---|
| 3 | 3 | 6 | 9 | 12 | 15 | 18 | 21 | 24 | 27 |

## ❖ 6단 곱셈구구

| × | 1 | 2 | 3 | 4 | 5 | 6 | 7 | 8 | 9 |
|---|---|---|---|---|---|---|---|---|---|
| 6 | 6 | 12 | 18 | 24 | 30 | 36 | 42 | 48 | 54 |

## ❖ 4단 곱셈구구

| × | 1 | 2 | 3 | 4 | 5 | 6 | 7 | 8 | 9 |
|---|---|---|---|---|---|---|---|---|---|
| 4 | 4 | 8 | 12 | 16 | 20 | 24 | 28 | 32 | 36 |

## ❖ 8단 곱셈구구

| × | 1 | 2 | 3 | 4 | 5 | 6 | 7 | 8 | 9 |
|---|---|---|---|---|---|---|---|---|---|
| 8 | 8 | 16 | 24 | 32 | 40 | 48 | 56 | 64 | 72 |

## ❖ 7단 곱셈구구

| × | 1 | 2 | 3 | 4 | 5 | 6 | 7 | 8 | 9 |
|---|---|---|---|---|---|---|---|---|---|
| 7 | 7 | 14 | 21 | 28 | 35 | 42 | 49 | 56 | 63 |

## ❖ 9단 곱셈구구

| × | 1 | 2 | 3 | 4 | 5 | 6 | 7 | 8 | 9 |
|---|---|---|---|---|---|---|---|---|---|
| 9 | 9 | 18 | 27 | 36 | 45 | 54 | 63 | 72 | 81 |

## ❖ 1단 곱셈구구

1과 어떤 수의 곱은 항상 어떤 수가 됩니다.

$$1 \times (어떤\ 수) = (어떤\ 수)$$

## ❖ 0의 곱

• 0과 어떤 수의 곱은 항상 0입니다.

$$0 \times (어떤\ 수) = 0$$

• 어떤 수와 0의 곱은 항상 0입니다.

$$(어떤\ 수) \times 0 = 0$$

**1** 그림을 보고 보기와 같이 덧셈식과 곱셈식으로 나타내어 보세요.

보기

덧셈식 _4+4+4+4+4=20_

곱셈식 _4×5=20_

❶ ♥는 몇 개씩 묶음일까요?

☐개씩 ☐묶음

❷ ♥는 모두 몇 개인지 덧셈식으로 나타내어 보세요.

덧셈식 _____

❸ ♥는 모두 몇 개인지 곱셈식으로 나타내어 보세요.

곱셈식 _____

**2** 그림을 알맞게 묶고, 모두 몇 개인지 덧셈식과 곱셈식으로 나타내어 보세요.

(1)

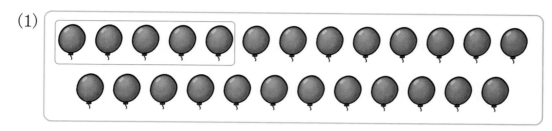

덧셈식 _____

곱셈식 _____

(2)

덧셈식 6+ _____

곱셈식 _____

**3** 모두 몇 개인지 두 가지 곱셈식으로 나타내어 보세요.

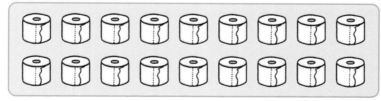

_____ , _____

**1** 수 카드를 한 번씩만 사용하여 곱셈식을 완성해 보세요.

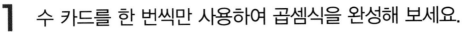 → 6 × ★ = ☐☐

❶ ★에 수 카드의 수 중 **2**를 넣어 곱을 구해 보세요.

6 × ☐ = ☐☐

❷ ★에 수 카드의 수 중 **4**를 넣어 곱을 구해 보세요.

6 × ☐ = ☐☐

❸ ★에 수 카드의 수 중 **7**을 넣어 곱을 구해 보세요.

6 × ☐ = ☐☐

❹ ❶부터 ❸까지의 곱셈식 중 수 카드를 한 번씩만 사용하여 만든 곱셈식은 어느 것일까요?

6 × ☐ = ☐☐

**2** 수 카드 6장 중 2장을 골라 곱셈식을 완성해 보세요.

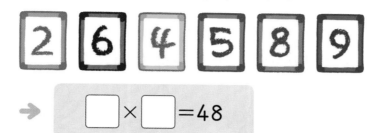

→ $\square \times \square = 48$

**3** 수 카드 3장 중 2장을 골라 곱셈을 할 때, 두 수의 곱이 가장 큰 곱을 구해 보세요.

(                  )

**4** 수 카드를 모두 한 번씩만 사용하여 두 곱셈식을 완성해 보세요.

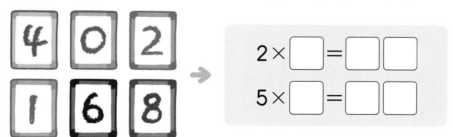

$2 \times \square = \square\square$

$5 \times \square = \square\square$

**1** 잠자리의 다리는 모두 몇 개인지 구해 보세요.

❶ 잠자리 한 마리의 다리는 몇 개일까요?

(        )

❷ 잠자리는 몇 마리일까요?

(        )

❸ 잠자리의 다리는 모두 몇 개일까요?

(        )

**2** 오리의 다리는 모두 몇 개인지 구해 보세요.

식 _____ 답 _____

**3** 문어와 메뚜기가 있습니다. 다리가 모두 몇 개인지 알아보세요.

(1) 문어의 다리는 모두 몇 개일까요?

식 _____ 답 _____

(2) 메뚜기의 다리는 모두 몇 개일까요?

식 _____ 답 _____

(3) 문어와 메뚜기의 다리는 모두 몇 개일까요?

(             )

## 유형 ④ 빈 곳을 알맞게 채우기

추론

**1** 규칙에 따라 수를 쓰려고 합니다. 두 모양의 색칠된 곳에는 서로 같은 수가 들어갑니다. 빈 곳에 알맞은 수를 써넣으세요.

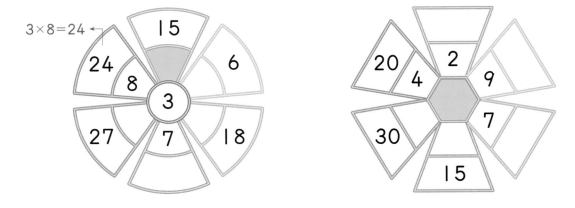

❶ 왼쪽 모양의 빈 곳에 알맞은 수를 써넣으세요.

❷ 오른쪽 모양의 색칠된 곳에 들어가는 수는 얼마일까요?

( )

❸ 오른쪽 모양의 빈 곳에 알맞은 수를 써넣으세요.

**2** 두 모양의 색칠된 곳에는 서로 같은 수가 들어갑니다. 빈 곳에 알맞은 수를 써넣으세요.

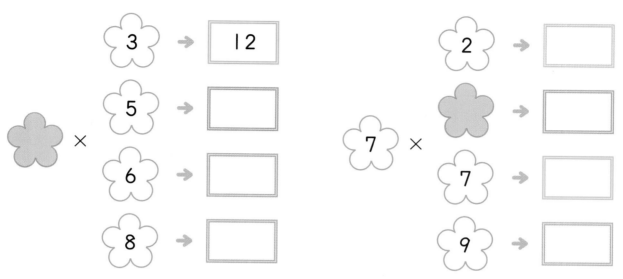

**3** 규칙에 따라 수를 쓰려고 합니다. 두 모양의 같은 색으로 색칠된 곳끼리 서로 같은 수가 들어갑니다. 빈 곳에 알맞은 수를 써넣으세요.

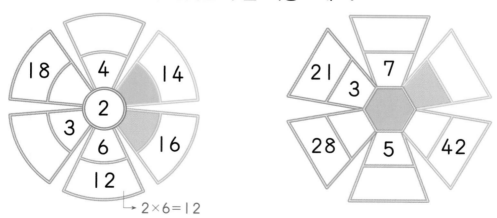

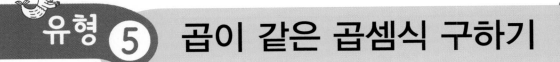

유형 **5** **곱이 같은 곱셈식 구하기**

문제 해결

**1** ☐ 안에 공통으로 들어갈 수 있는 수를 구해 보세요.

$$5 \times \boxed{\phantom{0}} = 0 \qquad \boxed{\phantom{0}} \times 9 = 0$$

$$\boxed{\phantom{0}} \times 2 = 0 \qquad 7 \times \boxed{\phantom{0}} = 0$$

❶ 위 곱셈식의 곱은 모두 얼마일까요?

( )

❷ 어떤 경우에 두 수의 곱이 0이 되는지 써 보세요.

_____

❸ ☐ 안에 공통으로 들어갈 수 있는 수를 구해 보세요.

( )

**2** □ 안에 알맞은 수를 써넣으세요.

$$\square \times 9 = 3 \times 3$$

(                              )

**3** 곱셈표를 보고 물음에 답하세요.

| × | 0 | 1 | 2 | 3 | 4 | 5 | 6 | 7 | 8 | 9 |
|---|---|---|---|---|---|---|---|---|---|---|
| 0 |   |   |   |   |   |   |   | 0 | 0 | 0 |
| 1 |   |   | 2 | 3 | 4 |   | 6 |   |   |   |
| 2 |   |   |   |   |   |   |   |   | 16 | ㉠ |
| 3 | 0 |   | 6 |   |   |   | ㉡ |   |   |   |
| 4 |   |   |   | 12 |   | ㉢ |   |   |   |   |
| 5 |   |   |   |   | ㉣ |   |   |   |   |   |
| 6 |   | 6 | 12 | ㉤ |   | 30 |   | 42 |   | ㉥ |
| 7 |   |   |   |   |   | ㉦ |   |   |   |   |
| 8 |   |   |   |   |   |   |   |   |   |   |
| 9 |   |   | ㉧ |   | 36 |   | ㉨ |   | 72 | 81 |

(1) 곱이 20인 칸을 모두 찾아 기호를 써 보세요.

(                              )

(2) 곱이 18인 칸을 모두 찾아 기호를 써 보세요.

(                              )

(3) 곱이 54인 칸을 모두 찾아 기호를 써 보세요.

(                              )

**1** 보기와 같이 주어진 곱셈구구 값의 일의 자리 숫자들을 차례로 선으로 이어 보세요.

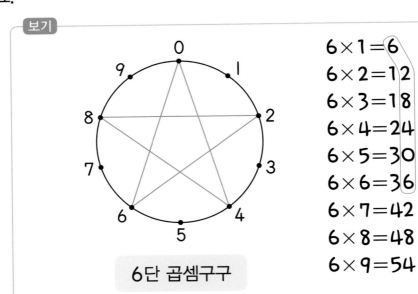

보기

6단 곱셈구구

$6 \times 1 = 6$
$6 \times 2 = 12$
$6 \times 3 = 18$
$6 \times 4 = 24$
$6 \times 5 = 30$
$6 \times 6 = 36$
$6 \times 7 = 42$
$6 \times 8 = 48$
$6 \times 9 = 54$

❶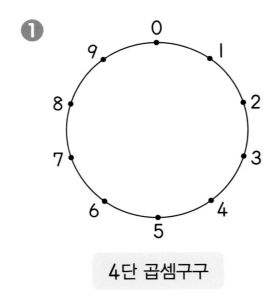

4단 곱셈구구

❷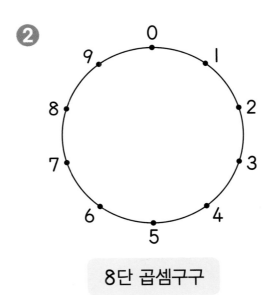

8단 곱셈구구

**2** 주어진 곱셈구구 값의 일의 자리 숫자들을 차례로 선으로 이어 보세요.

(1)
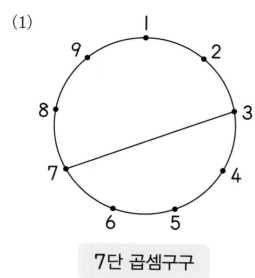

7단 곱셈구구

(2)
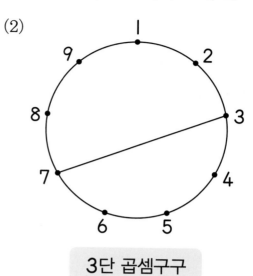

3단 곱셈구구

**3** 보기 와 같이 선으로 이은 두 수의 곱이 ❀ 안의 수가 되도록 두 수를 이어 보세요.

보기
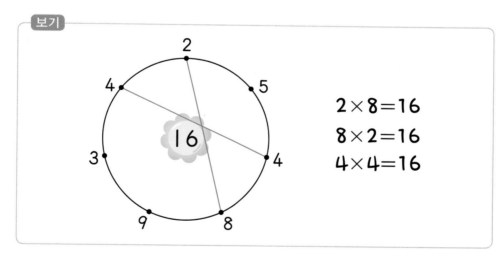

$2 \times 8 = 16$
$8 \times 2 = 16$
$4 \times 4 = 16$

(1)
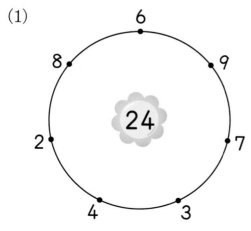

(2)
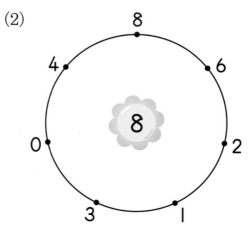

**1** 말의 다리는 모두 몇 개인지 구해 보세요.

(1) 말 한 마리의 다리는 몇 개일까요?

(                  )

(2) 말의 다리는 모두 몇 개일까요?

식 _____ 답 _____

**2** 그림을 보고 덧셈식과 곱셈식으로 나타내어 보세요.

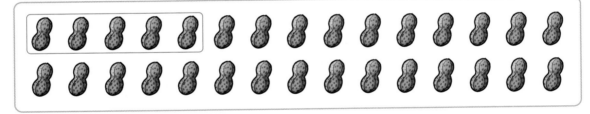

덧셈식 _____

곱셈식 _____

**3** 지우개가 모두 몇 개인지 4가지 곱셈식으로 나타내어 보세요.

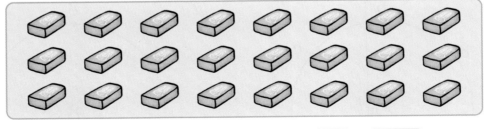

$\square \times \square = \square$ , $\square \times \square = \square$

$\square \times \square = \square$ , $\square \times \square = \square$

**4** 두 모양의 색칠된 곳에는 서로 같은 수가 들어갑니다. 빈 곳에 알맞은 수를 써넣으세요.

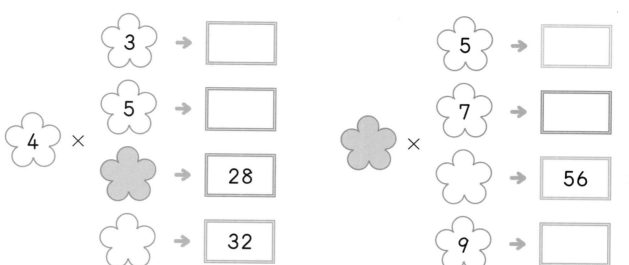

**5** 수 카드를 모두 한 번씩만 사용하여 곱셈식을 완성해 보세요.

**6** 빈칸에 알맞은 수를 써넣으세요.

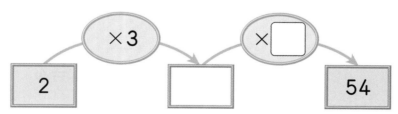

**7** 수 카드 6장 중 2장을 골라 곱셈식을 완성해 보세요.

(1)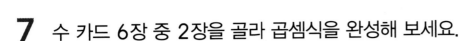

→ $\boxed{\phantom{0}} \times \boxed{\phantom{0}} = 72$

(2)

→ $\boxed{\phantom{0}} \times \boxed{\phantom{0}} = 36$

**8** 0부터 9까지의 수 중 □ 안에 들어갈 수 있는 수는 몇 개일까요?

$$\boxed{\phantom{0}} \times 0 = 0$$

(                      )

**9** □ 안에 공통으로 들어갈 수 있는 수를 구해 보세요.

$$6 \times \boxed{\phantom{0}} = 6 \qquad \boxed{\phantom{0}} \times 3 = 3$$
$$9 \times \boxed{\phantom{0}} = 9 \qquad \boxed{\phantom{0}} \times 4 = 4$$

(                      )

[10~11] 곱셈표를 보고 물음에 답하세요.

| × | 2 | 3 | 4 | 5 | 6 | 7 | 8 |
|---|---|---|---|---|---|---|---|
| 2 |   |   |   | 10 |   |   |   |
| ㉠ | 8 |   | 16 |   |   | 28 |   |
| 6 |   | 18 |   |   | 36 |   |   |
| 8 |   | ㉡ |   | 40 |   |   | 64 |

**10** ㉠, ㉡에 알맞은 수를 각각 구해 보세요.

㉠ (                    ), ㉡ (                    )

**11** 곱셈표에서 8×6과 곱이 같은 곱셈구구를 써 보세요.

(                    )

**12** 선으로 이은 두 수의 곱이 🌸 안의 수가 되도록 두 수를 이어 보세요.

(1)

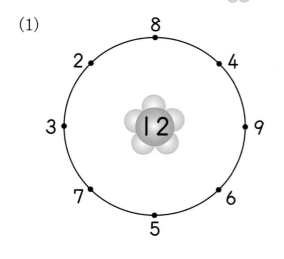

(2)

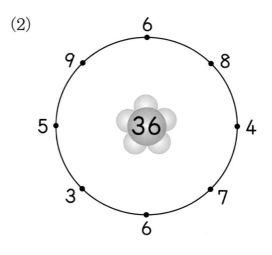

**13** 수 카드를 모두 한 번씩만 사용하여 두 곱셈식을 완성해 보세요.

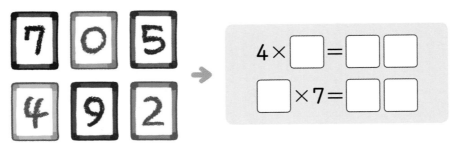

**14** 보기와 같은 규칙으로 빈 곳에 알맞은 수를 써넣으세요.

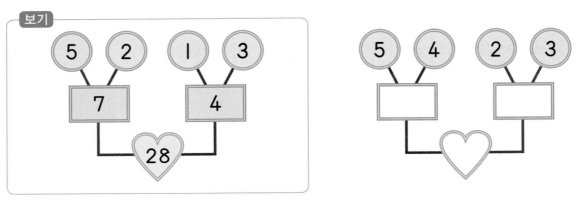

**15** 하선이는 9살입니다. 하선이 어머니의 나이는 하선이 나이의 4배보다 3살 적습니다. 하선이 어머니는 몇 살일까요?

(                    )

# 3 길이 재기

## ❀ cm보다 더 큰 단위

- 100 cm=1 m (1 미터)
- 140 cm는 1 m보다 40 cm 더 깁니다.
  140 cm=1 m 40 cm
  
  (1 미터 40 센티미터)

## ❀ 자로 길이 재기

- 줄자를 사용하여 길이를 재는 방법
① 물건의 한끝을 줄자의 눈금 0에 맞춥니다.
② 물건의 다른 쪽 끝에 있는 줄자의 눈금을 읽습니다.

## ❀ 길이의 합

- 2 m 30 cm+1 m 40 cm의 계산

**방법1** m와 cm 단위로 나누어 더하기

$$2+1=3$$

2 m 30 cm+1 m 40 cm=3 m 70 cm

$$30+40=70$$

**방법2** 세로로 계산하기

| | 2 m | 30 cm |
|---|---|---|
| + | 1 m | 40 cm |
| | 3 m | 70 cm |

## ❀ 길이의 차

- 4 m 70 cm−3 m 20 cm의 계산

**방법1** m와 cm 단위로 나누어 빼기

$$4-3=1$$

4 m 70 cm−3 m 20 cm=1 m 50 cm

$$70-20=50$$

**방법2** 세로로 계산하기

| | 4 m | 70 cm |
|---|---|---|
| − | 3 m | 20 cm |
| | 1 m | 50 cm |

## ❀ 길이 어림하기

① 걸음으로 1 m 재기: 걸음은 뼘에 비해 긴 길이를 잴 때 좋습니다.
② 뼘으로 1 m 재기: 뼘은 걸음에 비해 짧은 길이를 잴 때 좋습니다.
③ 키에서 약 1 m 찾기: 키에서 1 m는 물건의 높이를 잴 때 좋습니다.
④ 양팔을 벌린 길이에서 약 1 m 찾기: 양팔을 벌린 길이에서 1 m는 긴 길이를 여러 번 잴 때 좋습니다.

## 유형 ① 끈의 길이 구하기

문제 해결

**1** 길이가 5 m 70 cm인 끈으로 다음과 같이 상자를 묶었습니다. 매듭의 길이가 35 cm일 때 상자를 묶고 남은 끈의 길이는 몇 m 몇 cm인지 구해 보세요.

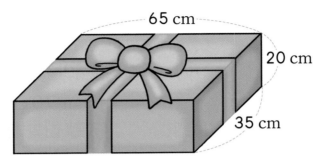

❶ □ 안에 알맞은 수를 써넣으세요.

> 상자를 65 cm인 끈을 □번, 35 cm인 끈을 □번, 20 cm인 끈을 □번 사용하여 묶고 매듭을 묶었습니다.

❷ 상자를 묶을 때 사용한 끈의 길이는 몇 m 몇 cm일까요?

( )

❸ 상자를 묶고 남은 끈의 길이는 몇 m 몇 cm일까요?

( )

**2** 다음과 같이 상자를 끈으로 묶었습니다. 상자를 묶은 매듭의 길이가 25 cm일 때 상자를 묶는 데 사용한 끈의 길이는 몇 m 몇 cm인지 구해 보세요.

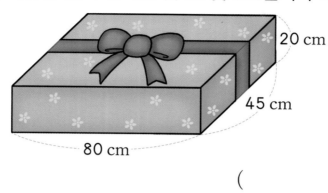

(            )

**3** 다음과 같이 상자를 끈으로 묶었습니다. 매듭으로 사용한 끈의 길이가 30 cm 일 때 상자를 묶는 데 사용한 끈의 길이는 몇 m 몇 cm인지 구해 보세요.

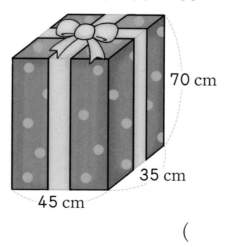

(            )

**1** 색칠한 부분의 둘레의 길이는 몇 m 몇 cm인지 구해 보세요.

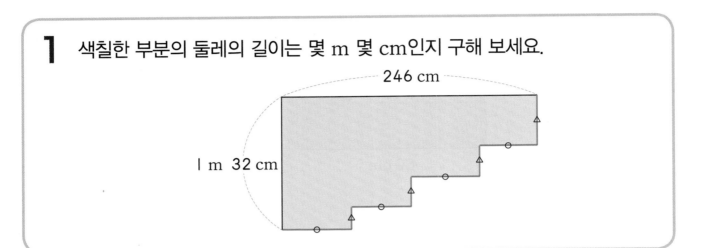

246 cm

1 m 32 cm

❶ 빨간색 선(○)의 길이의 합은 몇 m 몇 cm일까요?

( )

❷ 파란색 선(△)의 길이의 합은 몇 m 몇 cm일까요?

( )

❸ 색칠한 부분의 둘레의 길이는 몇 m 몇 cm일까요?

( )

**2** 색칠한 부분의 둘레의 길이는 몇 m 몇 cm인지 구해 보세요.

(1)

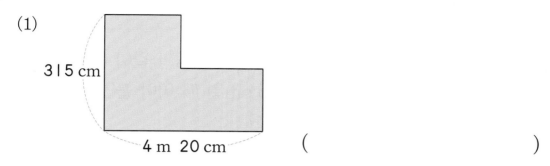

315 cm

4 m 20 cm

(              )

(2)

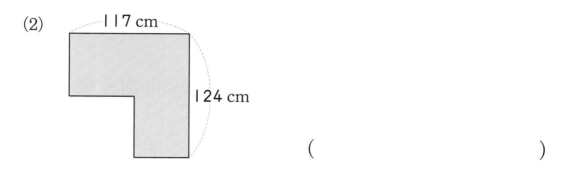

117 cm

124 cm

(              )

**3** 색칠한 부분의 둘레의 길이는 몇 m 몇 cm인지 구해 보세요.

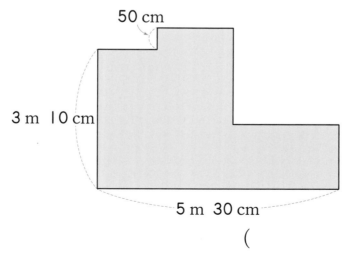

50 cm

3 m 10 cm

5 m 30 cm

(              )

## 유형 ③ 이어 붙인 길이 구하기

문제 해결

**1** 길이가 각각 2 m 14 cm인 색 테이프 3장을 그림과 같이 이어 붙였습니다. 색 테이프의 겹쳐진 부분의 길이가 5 cm일 때 이어 붙인 색 테이프의 전체 길이는 몇 m 몇 cm인지 구해 보세요.

5 cm          5 cm

❶ 길이가 각각 2 m 14 cm인 색 테이프 3장의 길이의 합은 몇 m 몇 cm 일까요?

(                    )

❷ 색 테이프의 겹쳐진 두 부분의 길이의 합은 몇 cm일까요?

(                    )

❸ 이어 붙인 색 테이프의 전체 길이는 몇 m 몇 cm일까요?

(                    )

**2** 길이가 4 m인 색 테이프와 62 cm인 색 테이프를 겹치지 않게 이어 붙였습니다. 이어 붙인 색 테이프의 전체 길이는 몇 cm인지 구해 보세요.

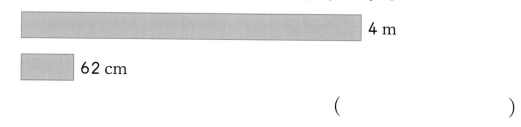

(                    )

**3** 색 테이프 두 장을 그림과 같이 겹치게 이어 붙였습니다. 이어 붙인 색 테이프의 전체 길이는 몇 m 몇 cm인지 구해 보세요.

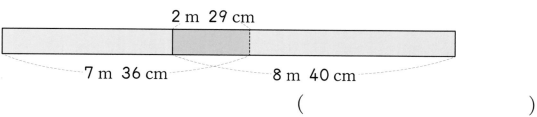

(                    )

**1** 수 카드 6장 중 3장을 골라 한 번씩 사용하여 길이 ■ m ▲● cm를 만들려고 합니다. 두 번째로 긴 길이와 두 번째로 짧은 길이의 차는 몇 m 몇 cm인지 구해 보세요. (단, ■, ▲, ●는 한 자리 수입니다.)

$$\boxed{2} \; \boxed{3} \; \boxed{5} \; \boxed{7} \; \boxed{8} \; \boxed{9}$$

❶ 수 카드 6장 중 3장을 골라 한 번씩 사용하여 만들 수 있는 가장 긴 길이와 두 번째로 긴 길이를 각각 만들어 보세요.

가장 긴 길이: ☐ m ☐ ☐ cm

두 번째로 긴 길이: ☐ m ☐ ☐ cm

❷ 수 카드 6장 중 3장을 골라 한 번씩 사용하여 만들 수 있는 가장 짧은 길이와 두 번째로 짧은 길이를 각각 만들어 보세요.

가장 짧은 길이: ☐ m ☐ ☐ cm

두 번째로 짧은 길이: ☐ m ☐ ☐ cm

❸ 두 번째로 긴 길이와 두 번째로 짧은 길이의 차는 몇 m 몇 cm인지 구해 보세요.

(         )

**2** 수 카드 3장을 한 번씩 사용하여 길이 ■ m ▲● cm를 만들려고 합니다. 가장 긴 길이를 만들고 1 m 19 cm와의 합을 구해 보세요.

(단, ■, ▲, ●는 한 자리 수입니다.)

가장 긴 길이: □ m □ cm ➡ 
□ m □□ cm
+ 1 m 19 cm
□ m □□ cm

**3** 수 카드 6장 중 3장을 골라 한 번씩 사용하여 길이 ■ m ▲● cm를 만들려고 합니다. 가장 긴 길이와 가장 짧은 길이를 각각 만들고 그 합을 구해 보세요.

(단, ■, ▲, ●는 한 자리 수입니다.)

가장 긴 길이: □ m □□ cm
가장 짧은 길이: □ m □□ cm
➡
□ m □□ cm
+ □ m □□ cm
□ m □□ cm

# 유형 ⑤ 가까운(먼) 거리 찾기

**1** 집에서 마트까지 갈 때 학교와 놀이터 중 어느 곳을 거쳐서 가는 거리가 몇 m 몇 cm 더 가까운지 구해 보세요.

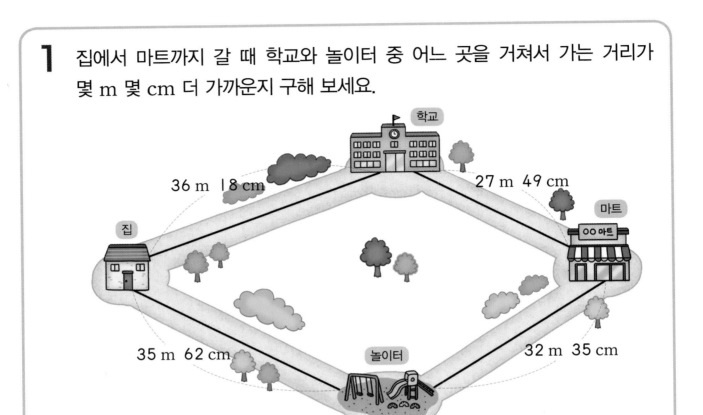

❶ 집에서 학교를 거쳐서 마트로 가는 거리는 몇 m 몇 cm일까요?

( )

❷ 집에서 놀이터를 거쳐서 마트로 가는 거리는 몇 m 몇 cm일까요?

( )

❸ 학교와 놀이터 중 어느 곳을 거쳐서 가는 거리가 몇 m 몇 cm 더 가까울까요?

( ), ( )

**2** 준수가 약국에서 경찰서를 지나 집까지 가는 거리는 몇 cm일까요?

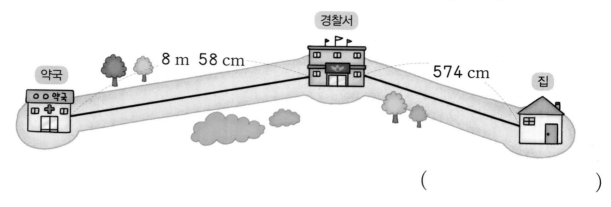

( )

**3** 시청에서 은행을 거쳐 우체국까지 가는 거리는 시청에서 우체국까지 바로 가는 거리보다 몇 m 몇 cm 더 먼지 구해 보세요.

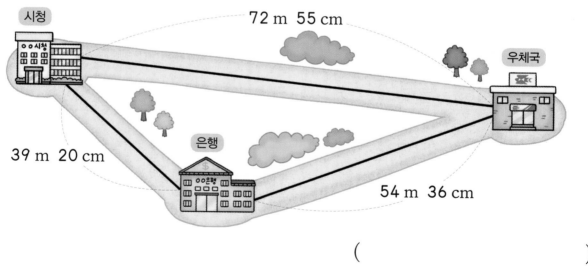

( )

# 알맞은 수 구하기

추론

**1** ☐ 안에 알맞은 수를 써넣으세요.

(1)
$$
\begin{array}{r}
2 \text{ m} \boxed{\phantom{0}} \text{ cm} \\
+ \boxed{\phantom{0}} \text{ m} \ 3\ 5 \text{ cm} \\
\hline
3 \text{ m} \ 4\ 9 \text{ cm}
\end{array}
$$

(2)
$$
\begin{array}{r}
\boxed{\phantom{0}} \text{ m} \ 4\ 7 \text{ cm} \\
- \ 2 \text{ m} \boxed{\phantom{0}} \text{ cm} \\
\hline
2 \text{ m} \ 2\ 3 \text{ cm}
\end{array}
$$

❶ 위 길이의 합을 구하는 식을 보고 ☐ 안에 알맞은 수를 써넣으세요.

> cm 단위의 계산

$$■ + 35 = 49 \Rightarrow 49 - 35 = ■, ■ = \boxed{\phantom{00}}$$

> m 단위의 계산

$$2 + ■ = 3 \Rightarrow 3 - 2 = ■, ■ = \boxed{\phantom{00}}$$

❷ 위 길이의 차를 구하는 식을 보고 ☐ 안에 알맞은 수를 써넣으세요.

> cm 단위의 계산

$$47 - ■ = 23 \Rightarrow ■ + 23 = 47, \ 47 - 23 = ■,$$
$$■ = \boxed{\phantom{00}}$$

> m 단위의 계산

$$■ - 2 = 2 \Rightarrow 2 + 2 = ■, ■ = \boxed{\phantom{00}}$$

❸ ☐ 안에 알맞은 수를 써넣으세요.

**2** □ 안에 알맞은 수를 써넣으세요.

(1)

$$
\begin{array}{r}
3 \text{ m } \boxed{\phantom{0}} \text{ cm} \\
+ \boxed{\phantom{0}} \text{ m } 2\,6 \text{ cm} \\
\hline
6 \text{ m } 6\,3 \text{ cm}
\end{array}
$$

(2)

$$
\begin{array}{r}
\boxed{\phantom{0}} \text{ m } \boxed{\phantom{0}} \text{ cm} \\
- \quad 3 \text{ m } 3\,8 \text{ cm} \\
\hline
4 \text{ m } 4\,4 \text{ cm}
\end{array}
$$

**3** □ 안에 알맞은 수를 써넣으세요.

(1)

$$
\begin{array}{r}
\boxed{\phantom{0}} \text{ m } 7\,9 \text{ cm} \\
+ \quad 4 \text{ m } \boxed{\phantom{0}} \text{ cm} \\
\hline
8 \text{ m } 5\,4 \text{ cm}
\end{array}
$$

(2)

$$
\begin{array}{r}
8 \text{ m } 2\,0 \text{ cm} \\
- \boxed{\phantom{0}} \text{ m } \boxed{\phantom{0}} \text{ cm} \\
\hline
3 \text{ m } 4\,0 \text{ cm}
\end{array}
$$

**1** 가로등의 높이가 4 m일 때 건물의 높이는 약 몇 m일까요?

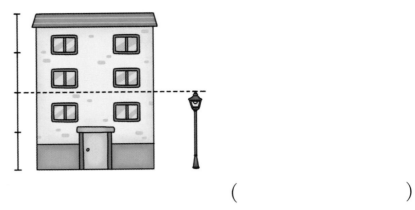

(                              )

**2** 텔레비전의 긴 쪽의 길이는 몇 m 몇 cm인지 구해 보세요.

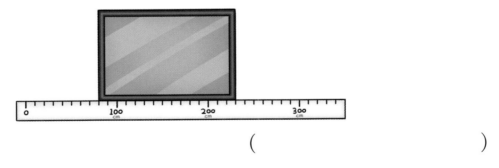

(                              )

**3** 가영이의 키는 1 m 38 cm이고 오빠의 키는 가영이보다 20 cm 더 큽니다. 가영이와 오빠의 키의 합은 몇 m 몇 cm일까요?

(                              )

**4** 다음과 같이 끈으로 상자를 묶었습니다. 상자를 묶는 매듭의 길이가 25 cm일 때 상자를 묶는 데 사용한 끈의 길이는 몇 m 몇 cm인지 구해 보세요.

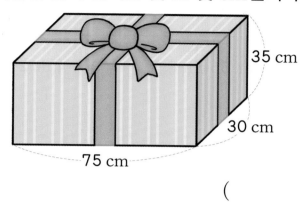

35 cm
30 cm
75 cm

(                                    )

**5** 색칠한 부분의 둘레의 길이는 몇 m 몇 cm일까요?

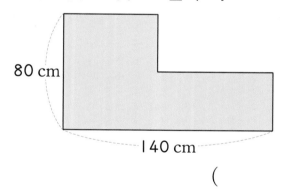

80 cm
1 40 cm

(                                    )

**6** 정호는 한 바퀴 굴리면 1 m 23 cm 가는 굴렁쇠를 3바퀴 굴렸습니다. 굴렁쇠가 굴러간 거리는 몇 m 몇 cm인지 구해 보세요.

(                                    )

**7** 수직선을 보고 ㉯와 ㉰ 사이의 거리는 몇 m 몇 cm인지 구해 보세요.

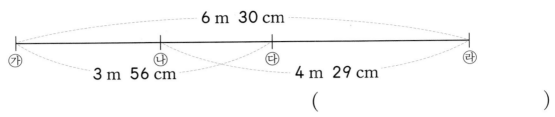

(              )

**8** 색 테이프 두 장을 그림과 같이 겹치게 이어 붙였습니다. 이어 붙인 색 테이프의 전체 길이는 몇 m 몇 cm인지 구해 보세요.

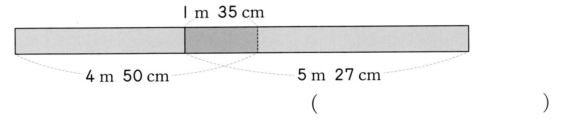

(              )

**9** 수 카드 3장을 한 번씩 사용하여 길이 ■ m ▲● cm를 만들려고 합니다. 가장 짧은 길이를 만들고 2 m 54 cm와의 합을 구해 보세요. (단, ■, ▲, ●는 한 자리 수입니다.)

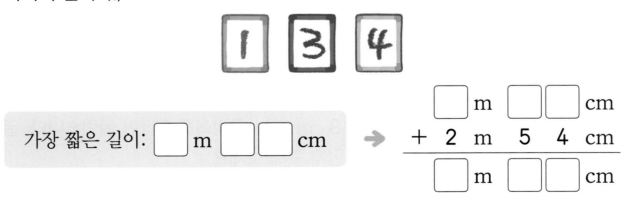

가장 짧은 길이: ☐ m ☐ ☐ cm  ➡ 

$$
\begin{array}{r}
\boxed{\phantom{0}}\text{ m } \boxed{\phantom{0}}\,\boxed{\phantom{0}}\text{ cm} \\
+ \quad 2 \text{ m } \quad 5 \quad 4 \text{ cm} \\
\hline
\boxed{\phantom{0}}\text{ m } \boxed{\phantom{0}}\,\boxed{\phantom{0}}\text{ cm}
\end{array}
$$

**10** 수 카드 6장 중 3장을 골라 한 번씩 사용하여 길이 ■ m ▲● cm를 만들려고 합니다. 두 번째로 긴 길이와 두 번째로 짧은 길이의 차를 구해 보세요.

(단, ■, ▲, ●는 한 자리 수입니다.)

(                    )

**3 단원**

**11** 병원에서 학교를 거쳐 집으로 가는 거리는 병원에서 집으로 바로 가는 거리보다 몇 m 몇 cm 더 먼지 구해 보세요.

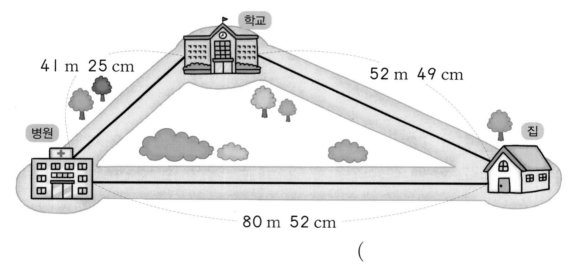

(                    )

**12** ☐ 안에 알맞은 수를 써넣으세요.

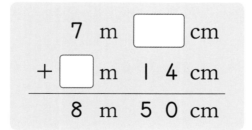

**13** 길이가 750 cm인 철사를 구부려서 겹치지 않게 다음과 같은 삼각형을 한 개 만들었습니다. 이 삼각형의 두 변의 길이가 다음과 같을 때 나머지 한 변의 길이는 몇 m 몇 cm인지 구해 보세요.

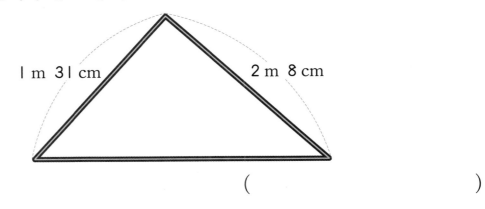

(           )

**14** 영지의 한 뼘은 12 cm입니다. 책상의 긴 쪽의 길이는 영지의 한 뼘의 길이의 약 10배라고 할 때 책상의 긴 쪽의 길이는 약 몇 m 몇 cm인지 구해 보세요.

(           )

**15** 0부터 9까지의 수 중 □ 안에 들어갈 수 있는 수는 모두 몇 개일까요?

$$4 \text{ m } 38 \text{ cm} < 4 \boxed{\phantom{0}} 6 \text{ cm}$$

(           )

# 4 시각과 시간

## ✿ 몇 시 몇 분 알아보기(1)

시계의 긴바늘이 가리키는 숫자가 1이면 5분, 2이면 10분, 3이면 15분……을 나타냅니다.

9시 15분

## ✿ 몇 시 몇 분 알아보기(2)

시계에서 긴바늘이 가리키는 작은 눈금 한 칸은 1분을 나타냅니다.

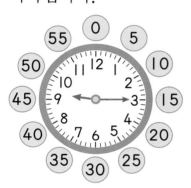

5시 12분

## ✿ 여러 가지 방법으로 시각 읽기

1시 55분을
2시 5분 전이라고도
합니다.

## ✿ 1시간 알아보기

• 시계의 긴바늘이 한 바퀴 도는 데 60분의 시간이 걸립니다.

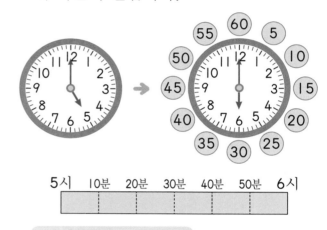

5시  10분  20분  30분  40분  50분  6시

• 60분=1시간

## ✿ 하루의 시간 알아보기

• 1일=24시간

• 오전: 전날 밤 12시부터 낮 12시까지
• 오후: 낮 12시부터 밤 12시까지

## ✿ 달력 알아보기

• 1주일=7일

• 1년=12개월

**유형 1** 거울에 비친 시계 보기

**1** 다음은 거울에 비친 시계의 모습입니다. 이 시계가 나타내는 시각은 몇 시 몇 분인지 알아보세요.

❶ 짧은바늘은 어떤 숫자와 어떤 숫자 사이를 가리키고 있나요?

( )와/과 ( ) 사이

❷ 긴바늘은 어떤 숫자를 가리키고 있나요?

( )

❸ 이 시계가 나타내는 시각은 몇 시 몇 분일까요?

( )

**2** 정호가 거울에 비친 시계를 보았더니 왼쪽 그림과 같았습니다. 왼쪽 시계가 나타 내는 시각에 맞게 오른쪽 시계에 시곗바늘을 그려 넣고 몇 시 몇 분 전인지 써 보세요.

( )

**3** 나은이와 승기가 학교에서 집에 도착했을 때 거울에 비친 시계입니다. 누가 집에 더 먼저 도착했을까요?

나은 승기

( )

문제 해결

# 더 오래 한 사람 찾기

1  진수와 영미가 운동을 시작한 시각과 끝낸 시각입니다. 운동을 더 오래 한 사람은 누구인지 알아보세요.

❶ 진수가 운동한 시간은 몇 시간 몇 분일까요?

(           )

❷ 영미가 운동한 시간은 몇 시간 몇 분일까요?

(           )

❸ 누가 운동을 더 오래 했을까요?

(           )

**2** 영재가 학교에 도착한 시각과 학교에서 나온 시각을 나타낸 것입니다. 영재가 학교에 있었던 시간은 몇 시간 몇 분일까요?

오전 9시 30분

오후 4시

(            )

**3** 수근이와 호동이가 공부를 시작한 시각과 끝낸 시각입니다. 공부를 더 오래 한 사람은 누구일까요?

|  | 시작한 시각 | 끝낸 시각 |
|---|---|---|
| 수근 | 2시 15분 | 4시 |
| 호동 | 3시 40분 | 5시 15분 |

(            )

# 유형 ③ 고장난 시계의 시각 구하기

**1** |시간에 3분씩 빨라지는 시계가 있습니다. 이 시계의 시각을 오늘 오전 10시에 정확하게 맞추었습니다. 오늘 오후 5시에 이 시계가 나타내는 시각은 몇 시 몇 분인지 구하고, 오른쪽 시계에 나타내어 보세요.

❶ 오전 10시에서 오후 5시까지 몇 시간이 지났을까요?

( )

❷ 이 시계는 오전 10시에서 오후 5시까지 몇 분 빨라질까요?

( )

❸ 오후 5시에 이 시계가 나타내는 시각을 쓰고, 위의 오른쪽 시계에 시곗바늘을 그려 넣으세요.

( 오전 , 오후 ) ☐ 시 ☐ 분

**2** 1시간에 1분씩 빨라지는 시계가 있습니다. 이 시계의 시각을 오늘 오전 9시에 정확하게 맞추었습니다. 오늘 오후 6시에 이 시계가 나타내는 시각은 몇 시 몇 분인지 구하고, 오른쪽 시계에 나타내어 보세요.

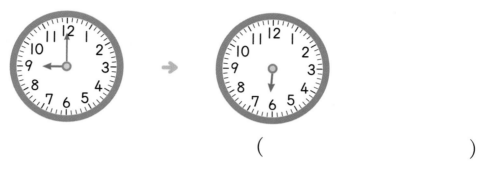

(             )

**3** 1시간에 2분씩 빨라지는 시계가 있습니다. 이 시계의 시각을 오늘 오전 11시에 정확하게 맞추었습니다. 오늘 오후 7시에 이 시계가 나타내는 시각은 몇 시 몇 분인지 구하고, 오른쪽 시계에 나타내어 보세요.

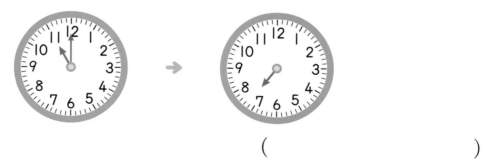

(             )

1 어느 해 3월 달력의 일부입니다. 이달의 토요일의 날짜의 합을 알아보세요.

❶ 일주일은 며칠마다 반복되나요?

(         )

❷ 이달의 토요일의 날짜를 모두 써 보세요.

(         )

❸ 토요일의 날짜의 합은 얼마일까요?

(         )

**2** 어느 해 10월 달력의 일부입니다. 이달에는 월요일이 몇 번 있을까요?

(             )

**3** 어느 해 4월 달력의 일부입니다. 이달의 수요일의 날짜를 모두 써 보세요.

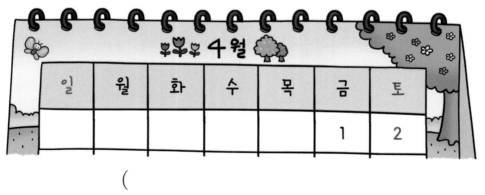

(             )

# 끝난 시각 구하기

**1** 축구 경기를 시작한 시각은 2시 10분입니다. 다음을 보고 축구 경기가 끝난 시각을 알아보세요.

| 전반전 | 45 분 |
|---|---|
| 휴식 | 10 분 |
| 후반전 | 45 분 |

❶ 전반전이 끝난 시각은 몇 시 몇 분일까요?

(        )

❷ 휴식 시간이 끝난 시각은 몇 시 몇 분일까요?

(        )

❸ 축구 경기가 끝난 시각에 맞게 시곗바늘을 그려 넣으세요.

**2** 뮤지컬 공연이 4시에 시작되었습니다. 다음을 보고 2부 공연이 끝나는 시각을 구해 보세요.

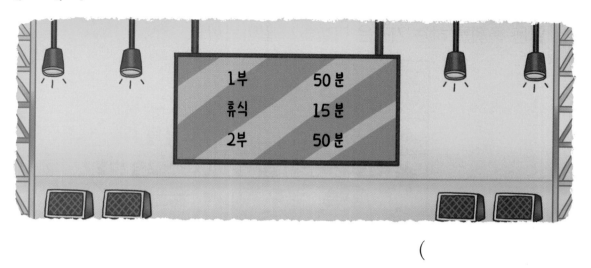

| 1부 | 50분 |
| 휴식 | 15분 |
| 2부 | 50분 |

(            )

**3** 피구 경기가 1시에 시작되었습니다. 다음을 보고 피구 경기가 끝나는 시각을 구해 보세요.

| 전반전 경기 시간 | 40분 |
| --- | --- |
| 휴식 시간 | 15분 |
| 후반전 경기 시간 | 40분 |

(            )

**1** 얼음 축제를 하는 기간은 며칠인지 알아보세요.

얼음 축제

일시 : 1월 17일
~ 2월 15일

장소 : ~~~
일시 : 1월 17일
~ 2월 15일

❶ 1월의 마지막 날은 며칠일까요?

( )

❷ 1월 17일부터 1월의 마지막 날까지는 며칠일까요?

( )

❸ 2월 1일부터 2월 15일까지는 며칠일까요?

( )

❹ 얼음 축제를 하는 기간은 며칠일까요?

( )

**2** 발명품 전시회를 하는 기간은 며칠일까요?

(                                )

**3** 영화 축제를 하는 기간은 30일입니다. 축제가 끝나는 날짜는 8월 며칠일까요?

8월 ☐ 일

**1** 다음은 거울에 비친 시계의 모습입니다. 이 시계가 나타내는 시각은 몇 시 몇 분 일까요?

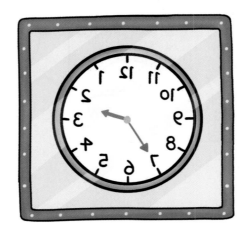

(           )

**2** 혜미는 45분 동안 운동을 했습니다. 1시 40분에 운동을 시작했다면 운동이 끝 난 시각은 몇 시 몇 분일까요?

(           )

**3** 다음은 거울에 비친 시계의 모습입니다. 이 시계가 나타내는 시각은 몇 시 몇 분 전 일까요?

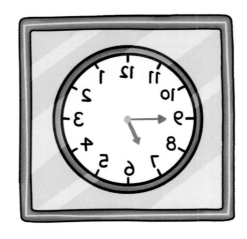

(           )

**4** 오른쪽 시계가 나타내는 시각에서 30분이 지난 시각은 몇 시 몇 분일까요?

(                    )

**5** 민지네 가족이 캠핑장에 도착한 시각과 캠핑장에서 나온 시각을 나타낸 것입니다. 민지네 가족이 캠핑장에 있었던 시간은 몇 시간 몇 분일까요?

오전 9시

오후 5시 30분

(                    )

**6** 뮤지컬 공연이 3시에 시작되었습니다. 다음을 보고 후반 공연이 끝나는 시각을 구해 보세요.

| 전반 공연 시간 | 50분 |
| --- | --- |
| 휴식 시간 | 20분 |
| 후반 공연 시간 | 50분 |

(                    )

**7** 어느 해 12월 달력의 일부입니다. 현우의 생일이 12월 30일일 때 현우의 생일은 무슨 요일일까요?

(                )

**8** 다음을 읽고 종수의 생일은 몇 월 며칠인지 구해 보세요.

> • 혜주의 생일은 4월 마지막 날입니다.
> • 종수는 혜주보다 10일 먼저 태어났습니다.

(                )

**9** 1시간에 2분씩 빨라지는 시계가 있습니다. 이 시계의 시각을 오늘 오전 8시에 정확하게 맞추었습니다. 오늘 오후 2시에 이 시계가 나타내는 시각을 구해 보세요.

( 오전 , 오후 ) [ ]시 [ ]분

**10** 재석이와 세호는 빵집에서 3시 10분 전에 만나기로 했습니다. 재석이가 약속한 시간보다 5분 빨리 왔다면 재석이가 도착한 시각은 몇 시 몇 분일까요?

(             )

**11** 시계의 짧은바늘이 4에서 10까지 가는 동안에 긴바늘은 모두 몇 바퀴 돌까요?

(             )

**4**
**단원**

**12** 어느 해 9월 달력의 일부입니다. 둘째 금요일에서 15일 후는 몇 월 며칠일까요?

| 일 | 월 | 화 | 수 | 목 | 금 | 토 |
|---|---|---|---|---|---|---|
|  |  |  | 1 | 2 | 3 | 4 |

(             )

**13** 하준이는 친구들과 농구 경기를 3시에 시작하였습니다. 다음과 같이 경기를 한다고 할 때 후반전이 시작된 시각은 몇 시 몇 분일까요?

| 전반전 경기 시간 | 20분 |
|---|---|
| 휴식 시간 | 10분 |
| 후반전 경기 시간 | 20분 |

(       )

**14** 콩 축제를 하는 기간은 며칠일까요?

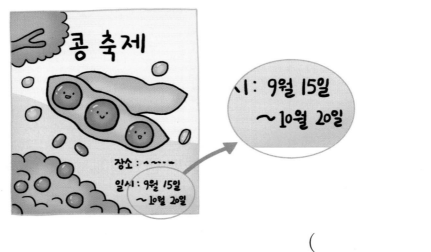

(       )

**15** 어느 해 11월 1일은 수요일입니다. 같은 해 12월 1일은 무슨 요일일까요?

(       )

# 5 표와 그래프

## ✿ 자료를 보고 표로 나타내어 보기

### 상혁이네 모둠 학생들이 좋아하는 색깔

| 빨강 | 파랑 | 노랑 | 빨강 |
|------|------|------|------|
| 상혁 | 종선 | 시온 | 은지 |
| 파랑 | 빨강 | 파랑 | 노랑 |
| 현서 | 혁주 | 현우 | 의현 |
| 빨강 | 파랑 | 노랑 | 빨강 |
| 영서 | 시헌 | 채윤 | 지원 |

### 상혁이네 모둠 학생들이 좋아하는 색깔별 학생 수

| 색깔 | 빨강 | 파랑 | 노랑 | 합계 |
|------|------|------|------|------|
| 학생 수 (명) | //// | //// | /// | |
| | 5 | 4 | 3 | 12 |

➜ 〈자료로 나타내면 편리한 점〉
누가 어떤 색깔을 좋아하는지 알 수 있습니다.

〈표로 나타내면 편리한 점〉
색깔별 좋아하는 학생 수와 전체 학생 수를 쉽게 알 수 있습니다.

## ✿ 그래프로 나타내어 보기

### 가은이네 반 학생들이 좋아하는 계절

| 봄 | 여름 | 가을 | 겨울 | 여름 |
|------|------|------|------|------|
| 가은 | 찬민 | 주영 | 태은 | 주환 |
| 여름 | 겨울 | 여름 | 봄 | 가을 |
| 아영 | 준우 | 혜빈 | 한결 | 소민 |
| 봄 | 여름 | 겨울 | 여름 | 봄 |
| 병준 | 유리 | 관우 | 수연 | 원재 |
| 가을 | 봄 | 여름 | 봄 | 겨울 |
| 성민 | 연경 | 초희 | 로이 | 정진 |

### 가은이네 반 학생들이 좋아하는 계절별 학생 수

| 학생 수 (명) | 봄 | 여름 | 가을 | 겨울 |
|------|------|------|------|------|
| 7 | | ○ | | |
| 6 | ○ | ○ | | |
| 5 | ○ | ○ | | |
| 4 | ○ | ○ | | ○ |
| 3 | ○ | ○ | ○ | ○ |
| 2 | ○ | ○ | ○ | ○ |
| 1 | ○ | ○ | ○ | ○ |

**1** 희철이네 반 학생 25명이 받고 싶은 선물을 조사하여 나타낸 표입니다. 물음에 답하세요.

희철이네 반 학생들이 받고 싶은 선물별 학생 수

| 선물 | 게임기 | 장난감 | 책 | 옷 | 학용품 | 합계 |
|------|--------|--------|-----|-----|--------|------|
| 학생 수(명) | 8 | | 5 | 4 | 2 | |

❶ 조사한 학생은 모두 몇 명일까요?

( 　　　　　　 )

❷ 장난감을 받고 싶은 학생은 몇 명일까요?

( 　　　　　　 )

❸ 표를 보고 √를 이용하여 그래프로 나타내어 보세요.

희철이네 반 학생들이 받고 싶은 선물별 학생 수

| 학생 수(명) \ 선물 | 게임기 | 장난감 | 책 | 옷 | 학용품 |
|------|--------|--------|-----|-----|--------|
| 8 | | | | | |
| 7 | | | | | |
| 6 | | | | | |
| 5 | | | | | |
| 4 | | | | | |
| 3 | | | | | |
| 2 | | | | | |
| 1 | | | | | |

**2** 수지네 반 학생 24명이 좋아하는 과목을 조사하여 나타낸 표입니다. 빈칸에 알맞은 수를 써넣으세요.

수지네 반 학생들이 좋아하는 과목별 학생 수

| 과목 | 국어 | 창·체 | 수학 | 겨울 | 합계 |
|------|------|-------|------|------|------|
| 학생 수(명) | 7 | 5 | 8 | | |

**3** 정호네 반 학생 21명이 좋아하는 채소를 조사하여 나타낸 그래프입니다. 그래프를 완성하여 보세요.

정호네 반 학생들이 좋아하는 채소별 학생 수

| 학생 수(명) \ 채소 | 당근 | 가지 | 오이 | 버섯 | 파프리카 |
|------|------|------|------|------|----------|
| 7 | | | | | |
| 6 | | | | | |
| 5 | | | | ∨ | |
| 4 | | | | ∨ | ∨ |
| 3 | ∨ | | | ∨ | ∨ |
| 2 | ∨ | ∨ | | ∨ | ∨ |
| 1 | ∨ | ∨ | | ∨ | ∨ |

**1** 여러 조각으로 오른쪽 모양을 만들었습니다. 사용한 조각의 수를 표와 그래프로 각각 나타내어 보세요.

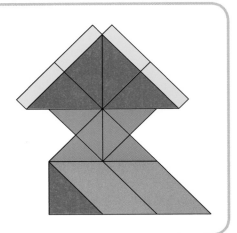

❶ 사용한 조각의 수를 표로 나타내어 보세요.

사용한 조각 수

| 조각 | △ | ▭ | ▱ | ▽ | 합계 |
|------|---|---|---|---|------|
| 조각 수(개) | | | | | |

❷ 완성한 ❶의 표를 보고 ○를 이용하여 그래프로 나타내어 보세요.

사용한 조각 수

| 6 | | | | |
|---|---|---|---|---|
| 5 | | | | |
| 4 | | | | |
| 3 | | | | |
| 2 | | | | |
| 1 | | | | |
| 조각 수 (개) / 조각 | △ | ▭ | ▱ | ▽ |

**2** 여러 조각으로 모양을 만들었습니다. 사용한 조각의 수를 표로 나타내어 보세요.

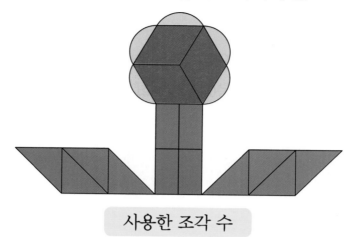

사용한 조각 수

| 조각 | | | | | 합계 |
|---|---|---|---|---|---|
| 조각 수(개) | | | | | |

**3** 여러 조각으로 오른쪽 모양을 만들었습니다. 사용한 조각의 수를 표로 나타내고, ㉠과 ㉡에 알맞은 수의 합을 구해 보세요.

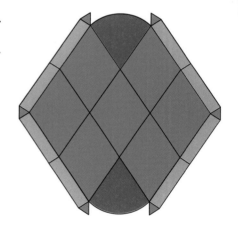

사용한 조각 수

| 조각 | ▼ | | | ▬ | 합계 |
|---|---|---|---|---|---|
| 조각 수(개) | ㉠ | | ㉡ | | |

(            )

# 빈칸 채우기

추론

1 승주네 반 학생들이 살고 있는 마을을 조사하여 나타낸 표입니다. 사랑 마을에 사는 학생이 희망 마을에 사는 학생보다 3명 더 많을 때 가장 많은 학생이 사는 마을은 어느 마을인지 구해 보세요.

승주네 반 학생들이 사는 마을별 학생 수

| 마을 | 기적 | 사랑 | 희망 | 나눔 | 합계 |
|------|------|------|------|------|------|
| 학생 수(명) | 7 | | | 3 | 25 |

❶ 희망 마을에 사는 학생은 몇 명일까요?

( )

❷ 사랑 마을에 사는 학생은 몇 명일까요?

( )

❸ 가장 많은 학생이 사는 마을은 어느 마을일까요?

( )

**2** 민재네 반 학생들이 좋아하는 과일을 조사하여 나타낸 표입니다. 귤을 좋아하는 학생은 사과를 좋아하는 학생보다 5명 더 많을 때 귤을 좋아하는 학생은 몇 명인지 구해 보세요.

민재네 반 학생들이 좋아하는 과일별 학생 수

| 과일 | 사과 | 복숭아 | 귤 | 포도 | 합계 |
|---|---|---|---|---|---|
| 학생 수(명) | | 8 | | 5 | 26 |

(         )

**3** 승기네 반 학생들이 좋아하는 색깔을 조사하여 나타낸 표입니다. 노란색을 좋아하는 학생은 파란색을 좋아하는 학생보다 2명 더 많을 때 빨간색을 좋아하는 학생은 몇 명인지 구해 보세요.

승기네 반 학생들이 좋아하는 색깔별 학생 수

| 색깔 | 초록색 | 노란색 | 파란색 | 빨간색 | 흰색 | 합계 |
|---|---|---|---|---|---|---|
| 학생 수(명) | 4 | | 5 | | 6 | 25 |

(         )

# 유형 4 표와 그래프로 나타내기

**1** 영진이네 모둠 학생들이 가고 싶은 체험 장소를 조사하여 나타내었습니다. 물음에 답하세요.

영진이네 모둠 학생들이 가고 싶은 체험 장소

| 동물원 | 영화관 | 놀이공원 | 영화관 | 동물원 | 놀이공원 | 놀이공원 |
|---|---|---|---|---|---|---|
| 영진 | 나래 | 성훈 | 현무 | 동엽 | 희철 | 세형 |
| 놀이공원 | 영화관 | 놀이공원 | 동물원 | 영화관 | 놀이공원 | 동물원 |
| 지원 | 호동 | 보라 | 예서 | 서진 | 동혁 | 준수 |

❶ 영진이네 모둠 학생들이 가고 싶은 체험 장소를 보고 학생들의 이름을 써 보세요.

영진이네 모둠 학생들이 가고 싶은 체험 장소

| 체험 장소 | 이름 |
|---|---|
|  |  |
|  |  |

❷ 자료를 보고 표로 나타내어 보세요.

영진이네 모둠 학생들이 가고 싶은 체험 장소별 학생 수

| 체험 장소 |  |
|---|---|
| 학생 수(명) |  |

**2** 진기네 반 학생들이 좋아하는 운동을 조사한 것입니다. 자료를 보고 물음에 답하세요.

진기네 반 학생들이 좋아하는 운동

| 이름 | 운동 | 이름 | 운동 | 이름 | 운동 | 이름 | 운동 |
|---|---|---|---|---|---|---|---|
| 진기 | 수영 | 윤아 | 수영 | 민호 | 수영 | 영아 | 축구 |
| 가은 | 축구 | 승기 | 농구 | 예준 | 야구 | 명철 | 농구 |
| 영주 | 농구 | 채민 | 수영 | 보미 | 농구 | 민희 | 수영 |
| 건희 | 축구 | 소진 | 축구 | 영은 | 야구 | 진형 | 축구 |
| 상준 | 야구 | 정표 | 농구 | 진호 | 수영 | 준서 | 야구 |

(1) 조사한 자료를 보고 표로 나타내어 보세요.

진기네 반 학생들이 좋아하는 운동별 학생 수

| 운동 | | | | |
|---|---|---|---|---|
| 학생 수(명) | | | | |

**5**
**단원**

(2) 완성한 표를 보고 /를 이용하여 그래프로 나타내어 보세요.

진기네 반 학생들이 좋아하는 운동별 학생 수

5. 표와 그래프 · **85**

**1** 동진이네 반 여학생과 남학생의 취미를 각각 조사하여 나타낸 표입니다. 물음에 답하세요.

동진이네 반 여학생들의 취미별 학생 수

| 취미 | 독서 | 게임 | 음악 감상 | 운동 | 합계 |
|---|---|---|---|---|---|
| 학생 수(명) | 3 | 3 | 1 | 2 | 9 |

동진이네 반 남학생들의 취미별 학생 수

| 취미 | 독서 | 게임 | 음악 감상 | 운동 | 합계 |
|---|---|---|---|---|---|
| 학생 수(명) | 2 | 4 | 2 | 3 | 11 |

❶ 표를 보고 ○를 이용하여 그래프로 나타내어 보세요.

동진이네 반 학생들의 취미별 학생 수

| 학생 수 (명) \ 취미 | 독서 | 게임 | 음악 감상 | 운동 |
|---|---|---|---|---|
| 7 | | | | |
| 6 | | | | |
| 5 | | | | |
| 4 | | | | |
| 3 | | | | |
| 2 | | | | |
| 1 | | | | |

❷ 가장 많은 학생이 좋아하는 취미는 무엇일까요?

(                              )

**2** 보미네 반 여학생과 남학생이 좋아하는 간식을 각각 조사하여 나타낸 표입니다. 가장 많은 학생이 좋아하는 간식은 무엇일까요?

보미네 반 여학생들이 좋아하는 간식별 학생 수

| 간식 | 떡볶이 | 피자 | 치킨 | 핫도그 | 합계 |
|---|---|---|---|---|---|
| 학생 수(명) | 2 | 3 | 3 | 2 | 10 |

보미네 반 남학생들이 좋아하는 간식별 학생 수

| 간식 | 떡볶이 | 피자 | 치킨 | 핫도그 | 합계 |
|---|---|---|---|---|---|
| 학생 수(명) | 4 | 1 | 2 | 2 | 9 |

(        )

**3** 찬희네 반 학생들이 좋아하는 명절을 조사하여 나타낸 표입니다. 가장 많은 학생이 좋아하는 명절은 무엇일까요?

찬희네 반 여학생들이 좋아하는 명절별 학생 수

| 6 | | | | |
|---|---|---|---|---|
| 5 | | | / | |
| 4 | | / | / | / |
| 3 | / | / | / | / |
| 2 | / | / | / | / |
| 1 | / | / | / | / |
| 여학생 수(명) \ 명절 | 설날 | 단오 | 한식 | 추석 |

찬희네 반 남학생들이 좋아하는 명절별 학생 수

| 6 | | | | |
|---|---|---|---|---|
| 5 | | | | |
| 4 | / | | | / |
| 3 | / | / | | / |
| 2 | / | / | | / |
| 1 | / | / | / | / |
| 남학생 수(명) \ 명절 | 설날 | 단오 | 한식 | 추석 |

(        )

**1** 어느 해 |월의 날씨를 조사하여 나타낸 것입니다. 물음에 답하세요.

| 월의 날씨 |

| 일 | 월 | 화 | 수 | 목 | 금 | 토 |
|---|---|---|---|---|---|---|
|  |  |  1 | 2 | 3 | 4 | 5 |
| 6 | 7 | 8 | 9 | 10 | 11 | 12 |
| 13 | 14 | 15 | 16 | 17 | 18 | 19 |
| 20 | 21 | 22 | 23 | 24 | 25 | 26 |
| 27 | 28 | 29 | 30 | 31 |  |  |

☀ : 맑은 날   ☁ : 흐린 날   ☂ : 비 온 날   ⛄ : 눈 온 날

❶ 조사한 자료를 보고 표로 나타내어 보세요.

| 월의 날씨별 날수 |

| 날씨 | ☀ | ☁ | ☂ | ⛄ | 합계 |
|---|---|---|---|---|---|
| 날수(일) |  |  |  |  |  |

❷ 날수가 가장 많은 날씨는 가장 적은 날씨보다 며칠 더 많을까요?

(           )

**2** 승주네 반 학생들이 좋아하는 음료수를 조사하여 나타낸 그래프입니다. 가장 많은 학생이 좋아하는 음료수는 가장 적은 학생이 좋아하는 음료수보다 몇 명 더 많을까요?

승주네 반 학생들이 좋아하는 음료수별 학생 수

| 음료수 \ 학생 수(명) | 1 | 2 | 3 | 4 | 5 | 6 | 7 | 8 | 9 | 10 |
|---|---|---|---|---|---|---|---|---|---|---|
| 식혜 | ○ | ○ | ○ | ○ | ○ | ○ | ○ | ○ | | |
| 주스 | ○ | ○ | ○ | | | | | | | |
| 사이다 | ○ | ○ | ○ | ○ | ○ | ○ | | | | |
| 콜라 | ○ | ○ | ○ | ○ | ○ | ○ | ○ | ○ | ○ | ○ |

( )

**3** 지수네 학교 사랑반과 희망반의 학생들이 존경하는 위인을 조사하여 나타낸 그래프입니다. 가장 많은 학생이 존경하는 위인은 가장 적은 학생이 존경하는 위인보다 몇 명 더 많을까요?

지수네 학교 사랑반과 희망반의 학생들이 존경하는 위인별 학생 수

| 학생 수 (명) \ 위인 | 이순신 | 세종대왕 | 신사임당 | 김구 |
|---|---|---|---|---|
| 14 | | | | ○ |
| 12 | ○ | | | ○ |
| 10 | ○ | ○ | | ○ |
| 8 | ○ | ○ | ○ | ○ |
| 6 | ○ | ○ | ○ | ○ |
| 4 | ○ | ○ | ○ | ○ |
| 2 | ○ | ○ | ○ | ○ |

( )

[1~2] 수정이네 모둠 학생들이 가고 싶은 나라를 조사하여 나타내었습니다. 물음에 답하세요.

수정이네 모둠 학생들이 가고 싶은 나라

| 미국 | 중국 | 인도 | 독일 | 미국 | 독일 |
|------|------|------|------|------|------|
| 수정 | 민주 | 보영 | 슬기 | 윤아 | 세준 |
| 독일 | 미국 | 인도 | 미국 | 독일 | 미국 |
| 명윤 | 유진 | 태우 | 가람 | 다슬 | 정민 |

**1** 조사한 자료를 보고 표로 나타내어 보세요.

수정이네 모둠 학생들이 가고 싶은 나라별 학생 수

| 나라 | 🇺🇸 | 🇨🇳 | 🇮🇳 | 🇩🇪 | 합계 |
|------|------|------|------|------|------|
| 학생 수(명) | | | | | |

**2** 완성한 표를 보고 ✓를 이용하여 그래프로 나타내어 보세요.

수정이네 모둠 학생들이 가고 싶은 나라별 학생 수

| 5 | | | | |
|---|---|---|---|---|
| 4 | | | | |
| 3 | | | | |
| 2 | | | | |
| 1 | | | | |
| 학생 수(명) \ 나라 | 미국 | 중국 | 인도 | 독일 |

**3** 세은이네 반 학생 23명이 배우고 싶은 운동을 조사하여 나타낸 표입니다. 검도를 배우고 싶은 학생은 몇 명인지 구해 보세요.

세은이네 반 학생들이 배우고 싶은 운동별 학생 수

| 운동 | 수영 | 합기도 | 복싱 | 검도 | 태권도 | 합계 |
|------|------|--------|------|------|--------|------|
| 학생 수(명) | 5 | 6 | 4 | | 3 | 23 |

(        )

[4~5] 슬기네 모둠 학생 14명이 좋아하는 계절을 조사하여 나타낸 그래프입니다. 물음에 답하세요.

슬기네 모둠 학생들이 좋아하는 계절별 학생 수

| 학생 수<br>(명) \ 계절 | 봄 | 여름 | 가을 | 겨울 |
|------|------|------|------|------|
| 5 | ○ | | | |
| 4 | ○ | | ○ | |
| 3 | ○ | | ○ | |
| 2 | ○ | ○ | ○ | |
| 1 | ○ | ○ | ○ | |

**4** 겨울을 좋아하는 학생은 몇 명일까요?

(        )

**5** 가장 많은 학생이 좋아하는 계절은 가장 적은 학생이 좋아하는 계절보다 몇 명 더 많을까요?

(        )

**6** 여러 조각으로 오른쪽 모양을 만들었습니다.
사용한 조각의 수를 표로 나타내어 보세요.

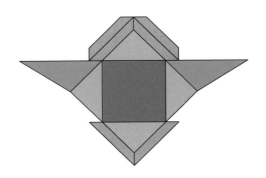

사용한 조각 수

| 조각 |  | | | | 합계 |
|---|---|---|---|---|---|
| 조각 수(개) | | | | | |

**[7~8]** 진주가 주사위를 24번 굴려서 나온 눈입니다. 물음에 답하세요.

**7** 조사한 자료를 보고 표로 나타내어 보세요.

나온 눈의 횟수

| 눈 | | | | | | | 합계 |
|---|---|---|---|---|---|---|---|
| 횟수(번) | | | | | | | |

**8** 두 번째로 많이 나온 주사위의 눈의 수는 무엇일까요?

(                    )

[9~11] 호동이네 반 학생들이 좋아하는 곤충을 조사하여 나타낸 표입니다. 매미를 좋아하는 학생은 잠자리를 좋아하는 학생보다 4명 더 많을 때 물음에 답하세요.

호동이네 반 학생들이 좋아하는 곤충별 학생 수

| 곤충 | 나비 | 잠자리 | 무당벌레 | 매미 | 합계 |
|---|---|---|---|---|---|
| 학생 수(명) | 6 | | 4 | | 20 |

**9** 매미를 좋아하는 학생은 몇 명일까요?

(            )

**10** 가장 많은 학생이 좋아하는 곤충은 무엇일까요?

(            )

**5**
단원

**11** 표를 보고 ✕를 이용하여 그래프로 나타내어 보세요.

호동이네 반 학생들이 좋아하는 곤충별 학생 수

| 학생 수 (명) \ 곤충 | 나비 | 잠자리 | 무당벌레 | 매미 |
|---|---|---|---|---|
| 7 | | | | |
| 6 | | | | |
| 5 | | | | |
| 4 | | | | |
| 3 | | | | |
| 2 | | | | |
| 1 | | | | |

**사고력 종합 평가**

**12** 가은이네 학교 사랑반과 성실반 학생들이 기르고 싶은 반려동물을 조사하여 나타낸 표입니다. 가장 많은 학생이 기르고 싶은 반려동물은 무엇일까요?

가은이네 학교 사랑반 학생들이 기르고 싶은 반려동물별 학생 수

| 반려동물 | 강아지 | 토끼 | 고양이 | 햄스터 | 합계 |
|---|---|---|---|---|---|
| 학생 수(명) | 5 | 6 | 4 | 3 | 18 |

가은이네 학교 성실반 학생들이 기르고 싶은 반려동물별 학생 수

| 반려동물 | 강아지 | 토끼 | 고양이 | 햄스터 | 합계 |
|---|---|---|---|---|---|
| 학생 수(명) | 6 | 1 | 8 | 4 | 19 |

( )

**[13~14]** 성재네 반 학생 26명이 하고 싶은 전통 놀이를 조사하여 나타낸 그래프입니다. 물음에 답하세요.

성재네 반 학생들이 하고 싶은 전통 놀이별 학생 수

| 전통 놀이 \ 학생 수(명) | 1 | 2 | 3 | 4 | 5 | 6 | 7 | 8 |
|---|---|---|---|---|---|---|---|---|
| 팽이치기 | ○ | ○ | ○ | ○ | ○ | ○ | ○ | ○ |
| 널뛰기 | ○ | ○ | ○ | ○ | ○ | | | |
| 제기차기 | | | | | | | | |
| 투호 | ○ | ○ | ○ | ○ | ○ | ○ | | |

**13** 제기차기를 하고 싶은 학생은 몇 명일까요?

( )

**14** 많은 학생이 하고 싶은 전통 놀이부터 순서대로 써 보세요.

( )

# 6 규칙 찾기

## ✿ 덧셈표에서 규칙 찾기

| + | 1 | 2 | 3 | 4 | 5 |
|---|---|---|---|---|---|
| 1 | 2 | 3 | 4 | 5 | 6 |
| 2 | 3 | 4 | 5 | 6 | 7 |
| 3 | 4 | 5 | 6 | 7 | 8 |
| 4 | 5 | 6 | 7 | 8 | 9 |
| 5 | 6 | 7 | 8 | 9 | 10 |

- ▓▓으로 칠해진 수에는 아래쪽으로 내려갈수록 1씩 커지는 규칙이 있습니다.
- ▓▓으로 칠해진 수에는 오른쪽으로 갈수록 1씩 커지는 규칙이 있습니다.

## ✿ 곱셈표에서 규칙 찾기

| × | 1 | 2 | 3 | 4 | 5 |
|---|---|---|---|---|---|
| 1 | 1 | 2 | 3 | 4 | 5 |
| 2 | 2 | 4 | 6 | 8 | 10 |
| 3 | 3 | 6 | 9 | 12 | 15 |
| 4 | 4 | 8 | 12 | 16 | 20 |
| 5 | 5 | 10 | 15 | 20 | 25 |

- ▓▓으로 칠해진 수에는 3씩 커지는 규칙이 있습니다.
- ▓▓으로 칠해진 수에는 4씩 커지는 규칙이 있습니다.

## ✿ 무늬에서 규칙 찾기

- 분홍색, 주황색, 초록색이 반복되는 규칙입니다.
- ↙ 방향으로 똑같은 색이 반복되고 있습니다.

## ✿ 쌓은 모양에서 규칙 찾기

쌓기나무가 3개, 1개가 반복되는 규칙입니다.

## ✿ 생활에서 규칙 찾기

| 4월 | | | | | | |
|---|---|---|---|---|---|---|
| 일 | 월 | 화 | 수 | 목 | 금 | 토 |
|  |  |  | 1 | 2 | 3 | 4 |
| 5 | 6 | 7 | 8 | 9 | 10 | 11 |
| 12 | 13 | 14 | 15 | 16 | 17 | 18 |
| 19 | 20 | 21 | 22 | 23 | 24 | 25 |
| 26 | 27 | 28 | 29 | 30 |  |  |

모든 요일은 7일마다 반복되는 규칙이 있습니다.

**1** 덧셈표에서 규칙을 찾아 빈칸에 알맞은 수를 써넣으세요.

| + | 0 | 1 | 2 |   |   |
|---|---|---|---|---|---|
| 0 | 0 | 1 | 2 | 3 |   |
| 1 | 1 | 2 | 3 | 4 |   |
| 2 | 2 | 3 | 4 |   |   |
|   |   |   |   | 10 | 11 |
|   |   |   |   | 11 | 12 |
| 6 |   |   | 10 | 11 | 12 | 13 |
| 7 | 7 | 8 | 9 | 10 | 11 | 12 | 13 | 14 |

① 

| | 7 | 8 | 9 | |
|---|---|---|---|---|
| | 8 | | 10 | 11 | |
| | | 10 | 11 | |
| | | | 13 | |

② 

| 17 | 18 | |
|---|---|---|
| | 19 | |
| | 20 | 21 | |
| 20 | | |

③ 

| | | 23 |
|---|---|---|
| 21 | 22 | 24 |
| | | 25 |
| | 25 | |

④ 

| | 18 | | |
|---|---|---|---|
| | | 20 | 21 | |
| | 20 | 21 | 22 | |
| | | 22 | | 24 |

**2** 덧셈표를 보고 물음에 답하세요.

| + | 2 | 4 | 6 | 8 | 10 |
|---|---|---|---|---|----|
| 2 |  |  |  | 10 | 12 |
| 4 |  | 8 |  |  |  |
| 6 | 8 | 10 |  |  |  |

(1) 위 빈칸에 알맞은 수를 써넣으세요.

(2) 덧셈표를 완성했을 때 합이 10보다 큰 곳은 모두 몇 군데일까요?

(          )

**3** 덧셈표를 보고 물음에 답하세요.

| + | 1 | 3 |  | 9 |
|---|---|---|---|---|
|  | 2 |  | 6 | 8 |
| 3 |  | 6 |  | 10 |
| 5 |  |  | 10 |  | 14 |
|  |  | 10 |  |  |

(1) 위 빈칸에 알맞은 수를 써넣으세요.

(2) 초록색으로 칠한 칸에 들어가는 수를 모두 더하면 얼마일까요?

(          )

**1** 곱셈표에서 규칙을 찾아 빈칸에 알맞은 수를 써넣으세요.

| × | 1 | 2 | 3 | 4 | | 7 | 8 |
|---|---|---|---|---|---|---|---|
| 1 | 1 | 2 | 3 | 4 | | | 8 |
| 2 | 2 | 4 | 6 | 8 | | | 16 |
| 3 | 3 | 6 | 9 | 12 | | | 24 |
| 4 | 4 | 8 | 12 | 16 | | 42 | 48 |
| | | | | | 35 | 40 | |
| 7 | | | | | 35 | 42 | 49 | 56 |
| 8 | 8 | 16 | 24 | 32 | 40 | 48 | 56 | 64 |

❶

| 8 | 10 | 12 | |
|---|---|---|---|
| | 15 | | 21 |
| 16 | 20 | | |

❷

| 24 | 30 | | |
|---|---|---|---|
| 21 | 28 | 35 | |
| | | 40 | 48 |
| | | 54 | |

❸

| | | 48 | 54 |
|---|---|---|---|
| 35 | 42 | | | 63 |
| 40 | | 56 | |
| | 54 | | 72 |

❹

| 16 | | 24 | |
|---|---|---|---|
| | 25 | 30 | | 40 |
| 24 | | | 42 |
| | 35 | 42 | |

**2** 곱셈표를 보고 물음에 답하세요.

| × | 1 | 3 | 5 | 7 |
|---|---|---|---|---|
| 2 |   | 6 |   |   |
| 4 | 4 |   | 20 | 28 |
| 6 | 6 | 18 |   |   |

(1) 위 빈칸에 알맞은 수를 써넣으세요.

(2) ▨으로 칠해진 수는 몇씩 커질까요?

(                                    )

**3** 곱셈표를 보고 물음에 답하세요.

| × | ㉠ | ㉡ | ㉢ | ㉣ |
|---|---|---|---|---|
| ㉠ | 9 | 12 |   |   |
| ㉡ |   |   | 20 |   |
| ㉢ | 15 |   | 25 |   |
| ㉣ |   |   |   | 36 |

(1) ㉠, ㉡, ㉢, ㉣에 알맞은 수를 각각 구해 보세요.

㉠ (                    ), ㉡ (                    ),
㉢ (                    ), ㉣ (                    )

(2) 위 빈칸에 알맞은 수를 써넣으세요.

**1** 어느 해 8월 달력의 일부입니다. 물음에 답하세요.

| 일 | 월 | 화 | 수 | 목 | 금 | 토 |
|---|---|---|---|---|---|---|
|  |  |  |  |  | 1 | 2 |

❶ 8월의 마지막 날은 며칠일까요?

(           )

❷ 금요일은 몇 번 있을까요?

(           )

❸ 셋째 수요일은 며칠일까요?

(           )

❹ 같은 해 9월 2일은 무슨 요일일까요?

(           )

**2** 어느 해 4월 달력입니다. 같은 해 5월 20일은 무슨 요일일까요?

| 일 | 월 | 화 | 수 | 목 | 금 | 토 |
|---|---|---|---|---|---|---|
|  |  |  | 1 | 2 | 3 | 4 |
| 5 | 6 | 7 | 8 | 9 | 10 | 11 |
| 12 | 13 | 14 | 15 | 16 | 17 | 18 |
| 19 | 20 | 21 | 22 | 23 | 24 | 25 |
| 26 | 27 | 28 | 29 | 30 |  |  |

(            )

**3** 어느 해 11월 달력의 일부입니다. 물음에 답하세요.

| 일 | 월 | 화 | 수 | 목 | 금 | 토 |
|---|---|---|---|---|---|---|
|  | 1 | 2 | 3 | 4 | 5 | 6 |

⑴ 넷째 목요일은 며칠일까요?

(            )

⑵ 같은 해 12월 5일은 무슨 요일일까요?

(            )

**1** 규칙에 따라 쌓기나무를 쌓았습니다. 쌓기나무를 5층으로 쌓으려면 쌓기나무는 모두 몇 개 필요한지 알아보세요.

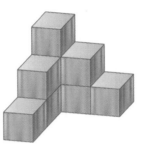

❶ 한 층 내려갈수록 쌓기나무는 몇 개씩 늘어나는 규칙일까요?

( 　　　　　　　　 )

❷ 위 규칙으로 5층으로 쌓으려면 1층부터 5층까지 필요한 쌓기나무는 각각 몇 개인지 구해 보세요.

5층 ( 　　　　　　 ), 4층 ( 　　　　　　 ),

3층 ( 　　　　　　 ), 2층 ( 　　　　　　 ),

1층 ( 　　　　　　 )

❸ 5층으로 쌓으려면 쌓기나무는 모두 몇 개 필요할까요?

( 　　　　　　　　 )

**2** 규칙에 따라 쌓기나무를 쌓았습니다. 다음에 이어질 모양에 쌓을 쌓기나무는 모두 몇 개일까요?

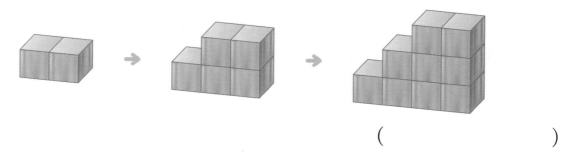

( )

**3** 규칙에 따라 쌓기나무를 쌓았습니다. 쌓기나무를 첫 번째부터 다섯 번째 모양까지 쌓으려면 쌓기나무는 모두 몇 개 필요한지 구해 보세요.

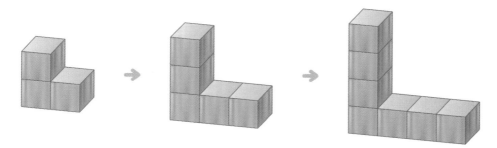

(1) 쌓기나무가 몇 개씩 늘어나는 규칙이 있을까요?

( )

(2) 첫 번째부터 다섯 번째 모양까지 쌓으려면 쌓기나무는 모두 몇 개 필요할까요?

( )

**유형 ⑤** 추론

# 그림에서 규칙 찾기

**1** 동물 그림을 규칙에 따라 놓았습니다. 물음에 답하세요.

❶ 동물 그림을 놓은 규칙을 찾아 써 보세요.

규칙

❷ ㉠과 ㉡에 알맞은 동물은 각각 무엇일까요?

㉠ (            ), ㉡ (            )

❸ 위의 그림에서 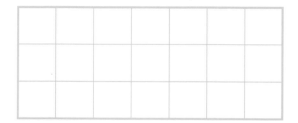는 4, 는 6, 는 2로 바꾸어 나타내어 보세요.

**2** 가위, 지우개, 연필을 규칙에 따라 놓았습니다. 15번째에 놓일 학용품은 무엇일까요?

(            )

**3** 포도, 사과, 귤을 규칙에 따라 놓았습니다. 물음에 답하세요.

(1) 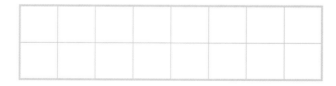 는 3, 는 1, 은 2로 바꾸어 나타내어 보세요.

| | | | | | | | |
|---|---|---|---|---|---|---|---|
| | | | | | | | |

(2) 20번째에 올 과일은 무엇일까요?

(            )

**1** 규칙을 찾아 빈 곳에 알맞은 수를 써넣으세요.

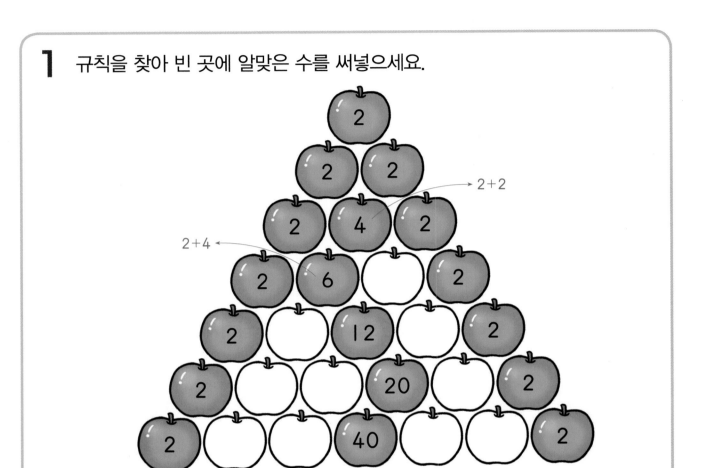

❶ 수의 규칙을 찾아 완성해 보세요.

규칙 _____위의 두 수를 ( 더하여 , 곱하여 ) 아래에 쓰는 규칙입니다._____

❷ 빈 곳에 알맞은 수를 써넣으세요.

**2** 규칙을 찾아 빈칸에 알맞은 수를 써넣으세요.

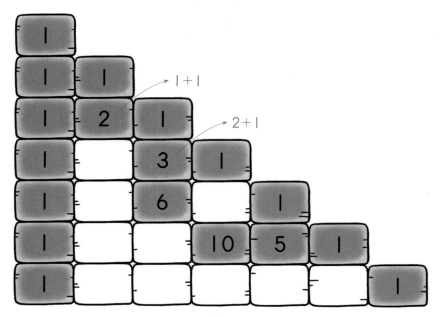

**3** 규칙을 찾아 빈칸에 알맞은 수를 써넣으세요.

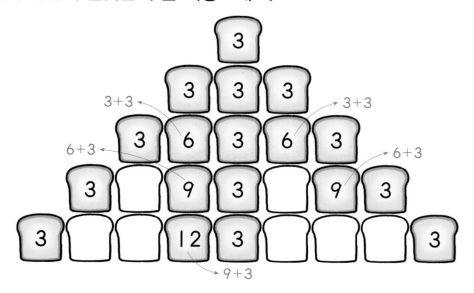

**1** 덧셈표에서 규칙을 찾아 빈칸에 알맞은 수를 써넣으세요.

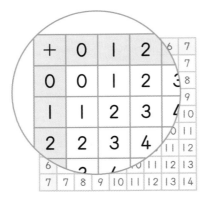

| + | 0 | 1 | 2 |
|---|---|---|---|
| 0 | 0 | 1 | 2 |
| 1 | 1 | 2 | 3 |
| 2 | 2 | 3 | 4 |

| | | | | |
|---|---|---|---|---|
| 31 | 32 | | | 35 |
| | 33 | | 35 | 36 |
| | 34 | 35 | | |
| 34 | | | | |

**2** 덧셈표를 완성해 보세요.

| + | 2 | | 6 | 8 |
|---|---|---|---|---|
| | 3 | 5 | | 9 |
| 3 | 5 | | 9 | |
| 5 | | 9 | | |
| | | | 11 | 15 |

**3** 규칙에 따라 쌓기나무를 쌓았습니다. 다섯 번째 모양에 쌓을 쌓기나무는 모두 몇 개일까요?

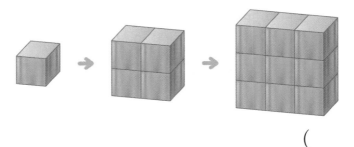

(                    )

**4** 곱셈표에서 규칙을 찾아 빈칸에 알맞은 수를 써넣으세요.

| × | 1 | 2 | 3 | 4 | 7 | 8 |
|---|---|---|---|---|---|---|
| 1 | 1 | 2 | 3 | 4 | 5 | 8 |
| 2 | 2 | 4 | 6 | 8 | 1 | 16 / 24 |
| 3 | 3 | 6 | 9 | 12 | | 32 |
| 4 | 4 | 8 | 12 | 16 | 42 | 40 / 48 |
| 7 | | 10 | 35 | 42 | 49 | 56 |
| 8 | 8 | 16 | 24 | 32 | 40 | 48 / 56 / 64 |

| 4 | | 12 | 16 |
|---|---|---|---|
| 5 | 10 | | |
| 6 | | | |
| 7 | 14 | 21 | |
| | | | |

**5** 곱셈표를 완성해 보세요.

| × | 3 | 4 | 5 |
|---|---|---|---|
| 3 | | 12 | 15 | 18 |
| | 12 | | 24 |
| 5 | | 20 | | 30 |
| 6 | 18 | | 30 | |

**6** 규칙을 찾아 시곗바늘을 알맞게 그려 보세요.

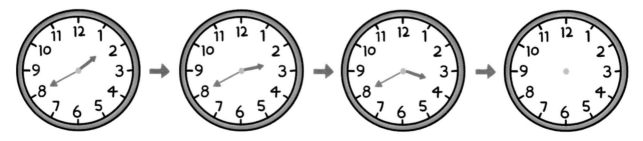

[7~8] 어느 해 6월 달력의 일부입니다. 물음에 답하세요.

| 일 | 월 | 화 | 수 | 목 | 금 | 토 |
|---|---|---|---|---|---|---|
|  |  |  | 1 | 2 | 3 | 4 |

**7** 마지막 화요일은 며칠일까요?

(          )

**8** 달력에서 찾을 수 있는 규칙을 써 보세요.

규칙 _____

_____

**9** 규칙에 따라 쌓기나무를 쌓았습니다. 다음에 이어질 모양에 쌓을 쌓기나무는 모두 몇 개일까요?

(          )

**10** 규칙을 찾아 세모 안에 ●을 알맞게 그려 보세요.

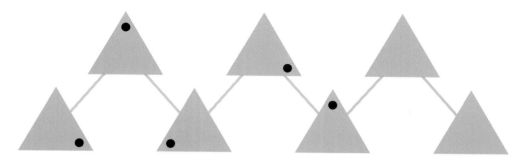

**11** 다음 그림에서 🍓는 1, 🍎는 3, 🍉은 2로 바꾸어 나타내어 보세요.

**12** 규칙적으로 도형을 그린 것입니다. 규칙을 찾아 빈칸에 알맞은 도형을 그리고, 빨간색, 파란색, 초록색을 이용하여 색칠해 보세요.

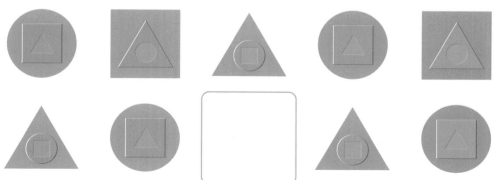

**13** 규칙을 찾아 빈칸에 알맞은 수를 써넣으세요.

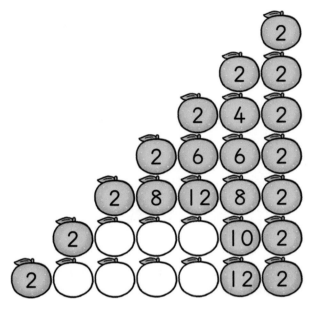

**14** 한글 자음을 규칙에 따라 놓았습니다. 규칙에 맞게 빈칸을 완성해 보세요.

**15** 준호는 연결 큐브를 이용하여 자신이 만든 규칙에 따라 모양을 만들었습니다. 다음에 이어질 모양에 필요한 연결 큐브는 모두 몇 개일까요?

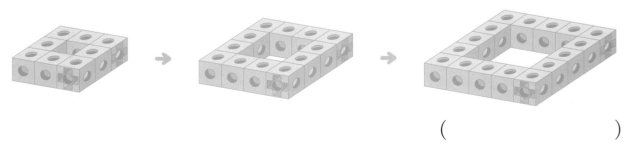

(           )

교과서 GO! 사고력 GO!

# GO! 매쓰

GO!

Jump
유형 사고력

# 정답과 풀이

# 수학 2-2

열심히
풀었으니까,
한 번 맞춰 볼까?

# GO! 매쓰 Jump

## 정답과 풀이

수학 2-2

정답과 풀이 2쪽

**유형 ①** 추론

## 수 카드로 수 만들기

**1** 주머니에 있는 수 카드를 한 번씩 사용하여 네 자리 수를 만들려고 합니다. 가장 큰 수와 가장 작은 수를 각각 구해 보세요.

먼저 수의 크기를 비교해야지.

**❶** 카드에 써 있는 수의 크기를 비교해 보세요.

$$ \boxed{7} > \boxed{5} > \boxed{4} > \boxed{2} $$

**❷** 가장 큰 네 자리 수를 만들어 보세요.

( 7542 )

❖ 가장 큰 네 자리 수: 천의 자리부터 큰 수를 차례로 놓아 만듭니다.

**❸** 카드에 써 있는 수의 크기를 비교해 보세요.

$$ \boxed{2} < \boxed{4} < \boxed{5} < \boxed{7} $$

**❹** 가장 작은 네 자리 수를 만들어 보세요.

( 2457 )

❖ 가장 작은 네 자리 수: 천의 자리부터 작은 수를 차례로 놓아 만듭니다.

6 · Jump 2-2

**2** 수 카드 4장을 한 번씩 사용하여 네 자리 수를 만들려고 합니다. 가장 큰 수와 가장 작은 수를 각각 구해 보세요.

$$ \boxed{3}\ \boxed{0}\ \boxed{8}\ \boxed{5} $$

가장 큰 수 ( 8530 ), 가장 작은 수 ( 3058 )

❖ • 가장 큰 수: 천의 자리부터 차례로 큰 수를 놓습니다.
→ 8530

• 가장 작은 수: 0은 천의 자리에 놓을 수 없으므로 백의 자리에 놓고, 두 번째로 작은 수부터 차례로 놓습니다. → 3058

**3** 수 카드 4장을 한 번씩 사용하여 네 자리 수를 만들려고 합니다. 천의 자리 숫자가 5인 가장 큰 수를 구해 보세요.

$$ \boxed{2}\ \boxed{5}\ \boxed{6}\ \boxed{9} $$

( 5962 )

❖ 천의 자리 숫자가 5인 네 자리 수를 5□□□라 하고, 남은 2, 6, 9를 큰 수부터 차례로 백의 자리, 십의 자리, 일의 자리에 써넣습니다.

따라서 9>6>2이므로 가장 큰 네 자리 수는 5962입니다.

**4** 수 카드 5장 중 4장을 골라 한 번씩 사용하여 네 자리 수를 만들려고 합니다. 십의 자리 숫자가 1인 가장 큰 수와 가장 작은 수를 각각 구해 보세요.

$$ \boxed{3}\ \boxed{1}\ \boxed{4}\ \boxed{7}\ \boxed{6} $$

가장 큰 수 ( 7614 ), 가장 작은 수 ( 3416 )

❖ • 가장 큰 수: □□1□에서 □ 안에 1을 제외하고 큰 수부터 차례로 씁니다. → 7614

• 가장 작은 수: □□1□에서 □ 안에 1을 제외하고 작은 수부터 차례로 씁니다. → 3416

1. 네 자리 수 · 7

---

정답과 풀이 2쪽

**유형 ②** 추론

## 규칙에 따라 뛰어 세기

**1** 어떤 수에서 100씩 5번 뛰어 세면 6000이 됩니다. 어떤 수는 얼마인지 구해 보세요.

어떤 수 □ □ □ □ □ 6000

**❶** 다음과 같이 뛰어 세면 어느 자리 숫자가 몇씩 커질까요?

1000씩 뛰어 세면 ( 천 , 백 , 십 , 일 )의 자리 숫자가 $\boxed{1}$ 씩 커집니다.

100씩 뛰어 세면 ( 천 , 백 , 십 , 일 )의 자리 숫자가 $\boxed{1}$ 씩 커집니다.

10씩 뛰어 세면 ( 천 , 백 , 십 , 일 )의 자리 숫자가 $\boxed{1}$ 씩 커집니다.

1씩 뛰어 세면 ( 천 , 백 , 십 , 일 )의 자리 숫자가 $\boxed{1}$ 씩 커집니다.

**❷** □ 안에 알맞은 수를 써넣으세요.

6000에서 $\boxed{100}$ 씩 거꾸로 $\boxed{5}$ 번 뛰어 셉니다.

**❸** ❷에서 얘기한 방법으로 뛰어 세어 보세요.

6000 — 5900 — 5800 — 5700 — 5600 — 5500

**❹** 어떤 수는 얼마일까요?

( 5500 )

8 · Jump 2-2

**2** 어떤 수에서 1000씩 거꾸로 3번 뛰어 세면 5000이 됩니다. 어떤 수는 얼마일까요?

5000 — □ — □ — 어떤 수

( 8000 )

❖ 어떤 수는 5000에서 1000씩 3번 뛰어 센 수입니다.
5000 - 6000 - 7000 - 8000이므로 어떤 수는 8000입니다.

**3** 영미는 일주일마다 용돈을 1500원씩 받습니다. 영미가 5000원짜리 인형을 사려면 용돈을 적어도 몇 주일 동안 모아야 할까요?

( 4주일 )

❖ 1500씩 뛰어 세어 봅니다.
1500 - 3000 - 4500 - 6000
[1주일] [2주일] [3주일] [4주일]

따라서 영미가 인형을 사려면 용돈을 4주일 동안 모아야 합니다.

**4** 호동이는 매월 용돈을 2000원씩 받습니다. 호동이가 8월부터 받은 용돈을 모은다면 7000원짜리 게임 카드는 몇 월에 살 수 있을까요?

( 11월 )

❖ 2000씩 뛰어 세어 봅니다.
2000 - 4000 - 6000 - 8000
[8월] [9월] [10월] [11월]

따라서 호동이는 11월에 게임 카드를 살 수 있습니다.

1. 네 자리 수 · 9

유형 ③ 나타내는 수의 크기 비교 　문제 해결

**1** 수의 크기를 비교하여 □ 안에 알맞은 수를 써넣으세요.

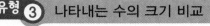

$\boxed{5000} > \boxed{4096} > \boxed{3870} > \boxed{2516}$

5>4　4>3　3>2

❶

$\boxed{4718} > \boxed{4689} > \boxed{3920} > \boxed{3915}$

✦ 4718 > 4689 > 3920 > 3915

7>6　4>3　2>1

❷

$\boxed{7090} > \boxed{7009} > \boxed{6567} > \boxed{6184}$

✦ 7090 > 7009 > 6567 > 6184

9>0　7>6　5>1

❸

$\boxed{5548} > \boxed{5450} > \boxed{5429} > \boxed{5316}$

✦ 5548 > 5450 > 5429 > 5316

5>4　5>2　4>3

---

**2** 농장에 있는 닭의 수를 나타낸 것입니다. 닭이 가장 많은 농장과 가장 적은 농장을 각각 찾아 써 보세요.

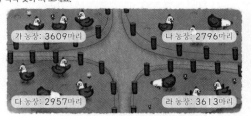

가 농장: 3609마리　나 농장: 2796마리

다 농장: 2957마리　라 농장: 3613마리

가장 많은 농장 ( 　라 농장　 )
가장 적은 농장 ( 　나 농장　 )

✦ 천의 자리 숫자가 3인 두 수를 비교하면 3609<3613이므

0<1

로 닭의 수가 가장 많은 농장은 라 농장입니다.

천의 자리 숫자가 2인 두 수를 비교하면 2796<2957이므

7<9

로 닭의 수가 가장 적은 농장은 나 농장입니다.

**3** 공에 써 있는 수를 큰 수부터 차례로 나열할 때 두 번째로 작은 수에서 숫자 7이 나타내는 값을 구해 보세요.

6735　7128　3479　5037

( 　7　 )

✦ 7128>6735>5037>3479

7>6　6>5　5>3

두 번째로 작은 수는 5037이므로 5037 ➡ 7

따라서 숫자 7이 나타내는 값은 7입니다.

---

유형 ④ 숫자가 나타내는 값 　정보 처리

**1** 숫자 6이 나타내는 값이 가장 작은 수를 찾아 써 보세요.

7634　9506　6819　3264

❶ 7634에서 숫자 6은 어느 자리 숫자이고 나타내는 값은 얼마일까요?

( 　백　 )의 자리 숫자, ( 　600　 )

✦ 7634

→ 백의 자리 숫자, 600을 나타냅니다.

❷ 9506에서 숫자 6은 어느 자리 숫자이고 나타내는 값은 얼마일까요?

( 　일　 )의 자리 숫자, ( 　6　 )

✦ 9506

→ 일의 자리 숫자, 6을 나타냅니다.

❸ 6819에서 숫자 6은 어느 자리 숫자이고 나타내는 값은 얼마일까요?

( 　천　 )의 자리 숫자, ( 　6000　 )

✦ 6819

→ 천의 자리 숫자, 6000을 나타냅니다.

❹ 3264에서 숫자 6은 어느 자리 숫자이고 나타내는 값은 얼마일까요?

( 　십　 )의 자리 숫자, ( 　60　 )

✦ 3264

→ 십의 자리 숫자, 60을 나타냅니다.

❺ 숫자 6이 나타내는 값이 가장 작은 수는 얼마일까요?

( 　9506　 )

✦ 6이 가장 작으므로 숫자 6이 나타내는 값이 가장 작은 수는

9506입니다.

---

**2** 주어진 네 자리 수에서 두 동물이 선택한 수 카드의 숫자가 나타내는 값의 합을 구해 보세요.

(1)

2375　7　4738　3

✦ 2375 ➡ 70. 4738 ➡ 30　( 　100　 )
따라서 70+30=100입니다.

(2)

5129　1　7594　5

( 　600　 )

✦ 5129 ➡ 100. 7594 ➡ 500
따라서 100+500=600입니다.

**3** 다음 네 자리 수에서 밑줄 친 숫자가 나타내는 값의 합을 구해 보세요.

(1)　3491　5280　6039　9754

( 　5434　 )

(2)　8520　3017　4889　1635

( 　4537　 )

✦ (1) 백의 자리 숫자: 4, 천의 자리 숫자: 5, 십의 자리 숫자: 3,
일의 자리 숫자: 4 ➡ 400+5000+30+4=5434

(2) 백의 자리 숫자: 5, 일의 자리 숫자: 7, 천의 자리 숫자: 4,
십의 자리 숫자: 3 ➡ 500+7+4000+30=4537

## 유형 5 규칙에 맞는 수 구하기 <sub>추론</sub>

정답과 풀이 4쪽

**1** 규칙을 보고 빈 곳에 알맞은 수를 써넣으세요.

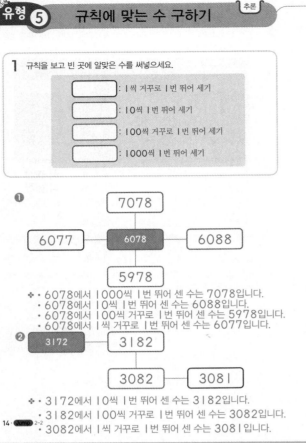

|  | : 1씩 거꾸로 1번 뛰어 세기 |
| --- | --- |
|  | : 10씩 1번 뛰어 세기 |
|  | : 100씩 거꾸로 1번 뛰어 세기 |
|  | : 1000씩 1번 뛰어 세기 |

❶

```
            7078
             │
6077 ── 6078 ── 6088
             │
           5978
```

✧ ・6078에서 1000씩 1번 뛰어 센 수는 7078입니다.
 ・6078에서 10씩 1번 뛰어 센 수는 6088입니다.
 ・6078에서 100씩 거꾸로 1번 뛰어 센 수는 5978입니다.
 ・6078에서 1씩 거꾸로 1번 뛰어 센 수는 6077입니다.

❷

```
3172 ── 3182
          │
        3082 ── 3081
```

✧ ・3172에서 10씩 1번 뛰어 센 수는 3182입니다.
 ・3182에서 100씩 거꾸로 1번 뛰어 센 수는 3082입니다.
 ・3082에서 1씩 거꾸로 1번 뛰어 센 수는 3081입니다.

14 · Jump 2-2

**2** 규칙을 보고 빈 곳에 알맞은 수를 써넣으세요.

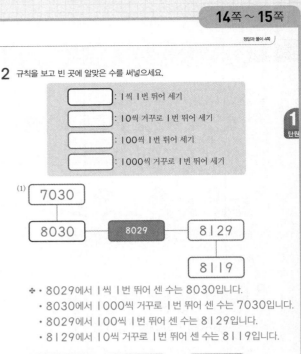

|  | : 1씩 1번 뛰어 세기 |
| --- | --- |
|  | : 10씩 거꾸로 1번 뛰어 세기 |
|  | : 100씩 1번 뛰어 세기 |
|  | : 1000씩 거꾸로 1번 뛰어 세기 |

(1)

```
7030
  │
8030 ── 8029 ── 8129
                  │
                8119
```

✧ ・8029에서 1씩 1번 뛰어 센 수는 8030입니다.
 ・8030에서 1000씩 거꾸로 1번 뛰어 센 수는 7030입니다.
 ・8029에서 100씩 1번 뛰어 센 수는 8129입니다.
 ・8129에서 10씩 거꾸로 1번 뛰어 센 수는 8119입니다.

(2)

```
7452 ── 7543 ── 6543
  │
7552 ── 7553
```

✧ ・7452에서 100씩 1번 뛰어 센 수는 7552입니다.
 ・7552에서 1씩 1번 뛰어 센 수는 7553입니다.
 ・7553에서 10씩 거꾸로 1번 뛰어 센 수는 7543입니다.
 ・7543에서 1000씩 거꾸로 1번 뛰어 센 수는 6543입니다.

1. 네 자리 수 · 15

## 유형 6 주사위가 나타내는 수 <sub>의사소통</sub>

정답과 풀이 4쪽

**1** 표에서 빨간색 주사위와 파란색 주사위의 두 눈이 만나는 곳에 있는 수를 찾아 물음에 답하세요. (예를 들어 ⚁ 과 ⚄ 이 만나는 곳에 있는 수는 1530입니다.)

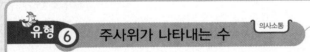

| 주사위 | ⚁ | ⚂ | ⚃ | ⚄ |
| --- | --- | --- | --- | --- |
| ⚀ | 5239 | 2097 | 1530 | 6548 |
| ⚂ | 7945 | 4108 | 3675 | 9166 |
| ⚃ | 6391 | 8092 | 1094 | 5816 |

❶ 주사위의 두 눈이 다음과 같을 때 만나는 곳에 있는 수를 찾아 □ 안에 써넣고, 크기를 비교하여 ○ 안에 > 또는 <를 알맞게 써넣으세요.

⚃⚁  ⚀⚄

✧ 6391 < 6548   [6391] ⓛ< [6548]
  └─3<5─┘

❷ 주사위의 두 눈이 다음과 같을 때 만나는 곳에 있는 수를 찾아 □ 안에 써넣고, 가장 큰 수를 써 보세요.

⚂⚂  ⚃⚄  ⚂⚃

[4108]  [5816]  [3675]

가장 큰 수 ( 5816 )

✧ 5816 > 4108 > 3675
  └5>4┘└4>3┘

16 · Jump 2-2

**2** 표에서 빨간색 주사위와 파란색 주사위의 두 눈이 만나는 곳에 있는 수를 찾아 물음에 답하세요.

| 주사위 | ⚁ | ⚂ | ⚃ | ⚄ | ⚅ |
| --- | --- | --- | --- | --- | --- |
| ⚂ | 3914 | 2765 | 7386 | 5297 | 4673 |
| ⚃ | 8705 | 6187 | 1976 | 9019 | 2802 |
| ⚄ | 5987 | 4946 | 8738 | 3475 | 6129 |
| ⚅ | 9871 | 1789 | 2937 | 5380 | 7452 |

(1) 주사위의 두 눈이 다음과 같을 때 만나는 곳에 있는 수를 찾아 □ 안에 써넣고, 가장 작은 수를 써 보세요.

⚂⚃  ⚃⚂  ⚄⚁

[7386]  [6187]  [5987]

가장 작은 수 ( 5987 )

✧ 5987 < 6187 < 7386
  └5<6┘└6<7┘

(2) 주사위의 두 눈이 다음과 같을 때 만나는 곳에 있는 수를 찾아 □ 안에 써넣고, 찾은 수에서 숫자 7이 나타내는 값의 합을 구해 보세요.

⚄⚃  ⚅⚂  ⚅⚅

[3475]  [1789]  [7452]

( 7770 )

✧ 3475 ➔ 70, 1789 ➔ 700, 7452 ➔ 7000
  70 + 700 + 7000 = 7770

1. 네 자리 수 · 17

## 사고력 종합 평가

정답과 풀이 5쪽

**1** 다음은 귤 상자에 들어 있는 귤의 수입니다. 어느 상자에 들어 있는 귤이 가장 많은지 기호를 써 보세요.

㉮ 1000개씩 3상자   ㉯ 100개씩 40상자   ㉰ 10개씩 50상자

( **㉯** )

❖ ㉮ 1000개씩 3상자=3000개
　 ㉯ 100개씩 40상자=4000개  ➡ ㉯>㉮>㉰
　 ㉰ 10개씩 50상자=500개

**2** 수 카드 4장을 한 번씩 사용하여 네 자리 수를 만들려고 합니다. 백의 자리 숫자가 4인 가장 작은 수를 구해 보세요.

6 4 3 5

( **3456** )

❖ 백의 자리 숫자가 4인 네 자리 수를 □4□□라 하고, 남은 수 6, 3, 5를 작은 수부터 차례로 천의 자리, 십의 자리, 일의 자리에 써넣습니다. ➡ 3456

**3** 호영이의 저금통에 들어 있는 동전은 다음과 같습니다. 1000원이 되려면 얼마를 더 모아야 할까요?

( **350원** )

❖ 100원짜리 동전 5개 ➡ 500원
　 50원짜리 동전 2개 ➡ 100원
　 10원짜리 동전 5개 ➡ 50원
　　　　　　　　　　　　 650원

따라서 1000원이 되려면 350원을 더 모아야 합니다.

18 · Jump 2-2

**4** 수의 크기를 비교하여 □ 안에 알맞은 수를 써넣으세요.

 5600　 6178　 4815　 5063

6178 > 5600 > 5063 > 4815

❖ 6178 > 5600 > 5063 > 4815
　　 6>5　　6>0　　5>4

**5** 빈 곳에 알맞은 수를 써넣으세요.

```
            3308
             ↑ 100씩 1번
               뛰어 세기
2208 ← 3208 → 3209
  1000씩    │ 1씩 1번
 거꾸로 1번   │ 뛰어 세기
 뛰어 세기    ↓ 1000씩 1번
            4208  뛰어 세기
```

❖ · 3208에서 100씩 1번 뛰어 센 수는 3308입니다.
　 · 3208에서 1씩 1번 뛰어 센 수는 3209입니다.
　 · 3208에서 1000씩 1번 뛰어 센 수는 4208입니다.
　 · 3208에서 1000씩 거꾸로 1번 뛰어 센 수는 2208입니다.

**6** 0부터 9까지의 수 중 □ 안에 들어갈 수 있는 수는 모두 몇 개일까요?

7□35>7563

( **4개** )

❖ 천의 자리 숫자가 같으므로 백, 십의 자리 숫자를 비교합니다.
　 □3>56이므로 □ 안에 들어갈 수 있는 수는 6, 7, 8, 9입니다.
　 ➡ 모두 4개입니다.

1. 네 자리 수 · 19

---

## 사고력 종합 평가

정답과 풀이 5쪽

**7** 다음이 나타내는 수를 구해 보세요.

1000이 7개, 100이 13개, 10이 22개, 1이 15개인 수

( **8535** )

❖ 1000이 7개 ➡ 7000
　 100이 13개 ➡ 1300
　 10이 22개 ➡ 220
　 1이 15개 ➡ 15
　　　　　　　 8535

**8** 어떤 수에서 200씩 4번 뛰어 세면 8000이 됩니다. 어떤 수는 얼마인지 구해 보세요.

```
어떤 수 →  →  →  → 8000
```

( **7200** )

❖ 8000에서 200씩 거꾸로 4번 뛰어 셉니다.
　 8000-7900-7800-7700-7600-7500
　 -7400-7300-7200
　 이므로 어떤 수는 7200입니다.

**9** 밑줄 친 두 숫자가 나타내는 값의 합과 차를 각각 구해 보세요.

6715　3248

합 ( **900** )
차 ( **500** )

❖ 6715에서 7과 3248에서 2는 백의 자리 숫자입니다.
　 7과 2의 합은 7+2=9이고 7과 2의 차는 7-2=5입니다.
　 따라서 두 숫자가 나타내는 값의 합은 900이고 차는 500입니다.

20 · Jump 2-2

**10** 다음 네 자리 수에서 밑줄 친 숫자가 나타내는 값의 합을 구해 보세요.

5289　4760　7695　1384

( **4385** )

❖ 십의 자리 숫자: 8, 천의 자리 숫자: 4,
　 일의 자리 숫자: 5, 백의 자리 숫자: 3
　 ➡ 80+4000+5+300=4385

[11~12] 표에서 빨간색 주사위와 파란색 주사위의 두 눈이 만나는 곳에 있는 수를 찾아 물음에 답하세요.

| 주사위 | ⚀ | ⚁ | ⚂ | ⚃ | ⚄ | ⚅ |
|---|---|---|---|---|---|---|
| ⚃ | 4087 | 2911 | 8403 | 7624 | 5900 | 3735 |
| ⚅ | 3940 | 7618 | 6090 | 1882 | 9009 | 2756 |

**11** 주사위의 두 눈이 다음과 같을 때 만나는 곳에 있는 수를 찾아 □ 안에 써넣고, 크기를 비교하여 ○ 안에 > 또는 <를 알맞게 써넣으세요.

7624　 > 　7618

❖ 7624>7618
　　 2>1

**12** 가은이와 상혁이가 선택한 주사위의 두 눈이 다음과 같습니다. 주사위의 두 눈이 만나는 곳에 있는 수를 찾으면 상혁이가 찾은 수는 가은이가 찾은 수보다 크다고 합니다. 상혁이의 파란색 주사위로 알맞은 것에 모두 ○표 하세요.

가은　　　　　　　　　　 상혁

( ⚀ ⚁ ⚂ ⚃ ⚄ )

❖ 가은이가 선택한 주사위의 두 눈이 만나는 곳에 있는 수가 5900이므로 빨간색 주사위의 눈이 6일 때 나올 수 있는 수 중 5900보다 큰 수를 찾습니다.

➡ 5900<7618, 5900<6090, 5900<9009

1. 네 자리 수 · 21

정답과 풀이 · **5**

사고력 종합 평가

정답과 풀이 6쪽

[13~14] 수 모형 8개 중 4개를 사용하여 나타낼 수 있는 네 자리 수를 모두 구하려고 합니다. 물음에 답하세요.

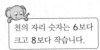

| 천 모형 | 백 모형 | 십 모형 | 일 모형 | 네 자리 수 | 천 모형 | 백 모형 | 십 모형 | 일 모형 | 네 자리 수 |
|---|---|---|---|---|---|---|---|---|---|
| 2 | 2 | 0 | 0 | 2200 | 2 | 0 | 2 | 0 | 2020 |
| 2 | 1 | 1 | 0 | 2110 | 2 | 0 | 1 | 1 | 2011 |
| 2 | 1 | 0 | 1 | 2101 | 2 | 0 | 0 | 2 | 2002 |

**13** 천의 자리 숫자가 2인 네 자리 수를 모두 써 보세요.

( 2200, 2110, 2101, 2020, 2011, 2002 )

❖ 사용할 수 모형 4개 중 천 모형 2개는 고정이므로 남은 백, 십, 일 모형 중 2개만 더 사용하여 네 자리 수를 만들어야 합니다.

| 천 모형 | 백 모형 | 십 모형 | 일 모형 | 네 자리 수 | 천 모형 | 백 모형 | 십 모형 | 일 모형 | 네 자리 수 |
|---|---|---|---|---|---|---|---|---|---|
| 1 | 2 | 1 | 0 | 1210 | 1 | 1 | 0 | 2 | 1102 |
| 1 | 2 | 0 | 1 | 1201 | 1 | 0 | 2 | 1 | 1021 |
| 1 | 1 | 2 | 0 | 1120 | 1 | 0 | 1 | 2 | 1012 |
| 1 | 1 | 1 | 1 | 1111 | | | | | |

**14** 천의 자리 숫자가 1인 네 자리 수를 모두 써 보세요.

( 1210, 1201, 1120, 1111, 1102, 1021, 1012 )

❖ 사용할 수 모형 4개 중 천 모형 1개는 고정이므로 남은 백, 십, 일 모형 중 3개만 더 사용하여 네 자리 수를 만들어야 합니다.

**15** 동물들이 같은 네 자리 수를 보고 한 말입니다. 어떤 네 자리 수인지 써 보세요.

천의 자리 숫자는 6보다 크고 8보다 작습니다.

십의 자리 숫자는 천의 자리 숫자보다 큽니다.

백의 자리 숫자는 십의 자리 숫자보다 큽니다.

일의 자리 숫자는 백의 자리 숫자와 같습니다.

❖ 천의 자리 숫자는 6보다 크고 8보다 작으므로 ( 7989 ) 7입니다.

22 · Jump 2-2

7□△□에서 △는 7보다 크므로 △=8 또는 △=9입니다.
• △=8이면 □는 8보다 크므로 □=9입니다. ➡ 7□△□=7989
• △=9이면 □는 9보다 크므로 □는 구할 수 없습니다.

[GO! 매쓰]
여기까지 1단원 내용입니다.
다음부터는 2단원 내용이 시작합니다.

## 유형 ① 덧셈식과 곱셈식으로 나타내기

문제 해결

정답과 풀이 6쪽

**1** 그림을 보고 보기와 같이 덧셈식과 곱셈식으로 나타내어 보세요.

보기

덧셈식 4+4+4+4+4=20
곱셈식 4×5=20

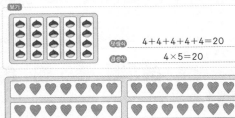

❶ ♥는 몇 개씩 묶음일까요?

[ 7 ]개씩 [ 4 ]묶음

❷ ♥는 모두 몇 개인지 덧셈식으로 나타내어 보세요.

덧셈식 7+7+7+7=28

❖ 7개씩 4묶음이므로 7을 4번 더하면 7+7+7+7=28입니다.

❸ ♥는 모두 몇 개인지 곱셈식으로 나타내어 보세요.

곱셈식 7×4=28

❖ 7개씩 4묶음이므로 7에 4를 곱하면 7×4=28입니다.

24 · Jump 2-2

**2** 그림을 알맞게 묶고, 모두 몇 개인지 덧셈식과 곱셈식으로 나타내어 보세요.

(1)
예

덧셈식 5+5+5+5+5=25
곱셈식 5×5=25

(2)
예

덧셈식 6+6+6+6+6+6+6=42
곱셈식 6×7=42

❖ (1) 5개씩 묶으면 5묶음이 됩니다.
(2) 6개씩 묶으면 7묶음이 됩니다.

**3** 모두 몇 개인지 두 가지 곱셈식으로 나타내어 보세요.

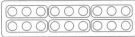

예 3×6=18     예 9×2=18

❖ 3개씩 묶으면 6묶음이 되므로 3×6=18입니다.

9개씩 묶으면 2묶음이 되므로 9×2=18입니다.

2. 곱셈구구 · 25

## 유형 ② 수 카드로 곱셈식 만들기　의사소통

**1** 수 카드를 한 번씩만 사용하여 곱셈식을 완성해 보세요.

2　4　7　→　6 × ★ = □□

❶ ★에 수 카드의 수 중 2를 넣어 곱을 구해 보세요.

6 × 2 = 1 2

❷ ★에 수 카드의 수 중 4를 넣어 곱을 구해 보세요.

6 × 4 = 2 4

❸ ★에 수 카드의 수 중 7을 넣어 곱을 구해 보세요.

6 × 7 = 4 2

❹ ❶부터 ❸까지의 곱셈식 중 수 카드를 한 번씩만 사용하여 만든 곱셈식은 어느 것일까요?

6 × 7 = 4 2

❖ ❶은 수 카드 2를 두 번 사용했고, ❷는 수 카드 4를 두 번 사용했으므로 답이 아닙니다.

26 · Jump 2-2

**2** 수 카드 6장 중 2장을 골라 곱셈식을 완성해 보세요.

2　6　4　5　8　9

→　6 × 8 = 48　→ 또는 8 × 6 = 48

❖ 수 카드의 수 중 곱해서 48이 되는 두 수는 6과 8 또는 8과 6입니다.

**3** 수 카드 3장 중 2장을 골라 곱셈을 할 때, 두 수의 곱이 가장 큰 곱을 구해 보세요.

9　2　5

(　45　)

❖ 두 수의 곱이 가장 크려면 수 카드의 수 중 가장 큰 수와 두 번째로 큰 수를 곱하면 됩니다. ➡ 9 × 5 = 45

**4** 수 카드를 모두 한 번씩만 사용하여 두 곱셈식을 완성해 보세요.

4　0　2
1　6　8
→
2 × 6 = 1 2
5 × 8 = 4 0
또는
2 × 8 = 1 6
5 × 4 = 2 0

❖ 5 × □ = ♥ ★
★에 5 또는 0이 들어가는데 수 카드에 5는 없으므로 ★ = 0입니다.
♥에 4, 2, 1을 각각 넣어 두 곱셈식을 만들어 수 카드를 모두 한 번씩만 사용한 경우를 찾습니다.
2 × 4 = 8
5 × 2 = 10
➡ 6을 사용하지 않았습니다.

2. 곱셈구구 · 27

## 유형 ③ 다리 수 구하기　문제 해결

**1** 잠자리의 다리는 모두 몇 개인지 구해 보세요.

❶ 잠자리 한 마리의 다리는 몇 개일까요?

(　6개　)

❷ 잠자리는 몇 마리일까요?

(　5마리　)

❸ 잠자리의 다리는 모두 몇 개일까요?

(　30개　)

❖ 다리가 6개씩 5마리이므로 모두 6 × 5 = 30(개)입니다.

28 · Jump 2-2

**2** 오리의 다리는 모두 몇 개인지 구해 보세요.

식　2 × 6 = 12　답　12개

❖ 다리가 2개씩 6마리이므로 모두 2 × 6 = 12(개)입니다.

**3** 문어와 메뚜기가 있습니다. 다리가 모두 몇 개인지 알아보세요.

(1) 문어의 다리는 모두 몇 개일까요?

식　8 × 4 = 32　답　32개

❖ 다리가 8개씩 4마리이므로 모두 8 × 4 = 32(개)입니다.

(2) 메뚜기의 다리는 모두 몇 개일까요?

식　6 × 8 = 48　답　48개

❖ 다리가 6개씩 8마리이므로 모두 6 × 8 = 48(개)입니다.

(3) 문어와 메뚜기의 다리는 모두 몇 개일까요?

(　80개　)

❖ (문어 다리 수의 합) + (메뚜기 다리 수의 합)
= 32 + 48 = 80(개)

2. 곱셈구구 · 29

정답과 풀이 8쪽

## 유형 ④ 빈 곳을 알맞게 채우기  추론

**1** 규칙에 따라 수를 쓰려고 합니다. 두 모양의 색칠된 곳에는 서로 같은 수가 들어갑니다. 빈 곳에 알맞은 수를 써넣으세요.

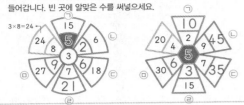

❶ 왼쪽 모양의 빈 곳에 알맞은 수를 써넣으세요.
❖ ㉠ $3 \times \square = 15$에서 $\square = 5$
  ㉡ $3 \times \square = 6$에서 $\square = 2$
  ㉢ $3 \times \square = 18$에서 $\square = 6$
  ㉣ $3 \times 7 = 21$
  ㉤ $3 \times \square = 27$에서 $\square = 9$

❷ 오른쪽 모양의 색칠한 곳에 들어가는 수는 얼마일까요?
( 5 )
❖ 왼쪽 모양의 색칠된 곳에 5가 들어가므로 오른쪽 모양의 색칠된 곳에도 5가 들어갑니다.

❸ 오른쪽 모양의 빈 곳에 알맞은 수를 써넣으세요.
❖ ㉠ $5 \times 2 = 10$  ㉡ $5 \times 9 = 45$
  ㉢ $5 \times 7 = 35$
  ㉣ $5 \times \square = 15$에서 $\square = 3$
  ㉤ $5 \times \square = 30$에서 $\square = 6$

**2** 두 모양의 색칠된 곳에는 서로 같은 수가 들어갑니다. 빈 곳에 알맞은 수를 써넣으세요.

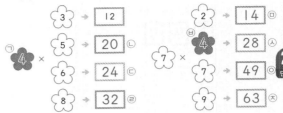

❖ ㉠ $\square \times 3 = 12$에서 $\square = 4$이므로 4가 들어갑니다.
  ㉡ $4 \times 5 = 20$  ㉢ $4 \times 6 = 24$
  ㉣ $4 \times 8 = 32$  ㉤ $7 \times 2 = 14$
  ㉥ $= 4$         ㉦ $7 \times 4 = 28$
  ㉧ $7 \times 7 = 49$  ㉨ $7 \times 9 = 63$

**3** 규칙에 따라 수를 쓰려고 합니다. 두 모양의 같은 색으로 색칠된 곳끼리 서로 같은 수가 들어갑니다. 빈 곳에 알맞은 수를 써넣으세요.

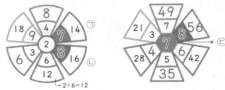

❖ ㉠ $2 \times \square = 14$에서 $\square = 7$
  ㉡ $2 \times \square = 16$에서 $\square = 8$
오른쪽 모양 가운데 칸에 7, ㉡에 8을 넣고 곱셈을 합니다.

30 · Jump 2-2
2. 곱셈구구 · 31

정답과 풀이 8쪽

## 유형 ⑤ 곱이 같은 곱셈식 구하기  문제 해결

**1** □ 안에 공통으로 들어갈 수 있는 수를 구해 보세요.

$5 \times \square = 0$    $\square \times 9 = 0$
$\square \times 2 = 0$    $7 \times \square = 0$

❶ 위 곱셈식의 곱은 모두 얼마일까요?
( 0 )

❷ 어떤 경우에 두 수의 곱이 0이 되는지 써 보세요.
예 **두 수 중 적어도 한 수는 0이어야 합니다.**

❸ □ 안에 공통으로 들어갈 수 있는 수를 구해 보세요.
( 0 )
❖ 어떤 수와 0의 곱은 항상 0이므로 □ 안에 공통으로 들어갈 수 있는 수는 0입니다.

**2** □ 안에 알맞은 수를 써넣으세요.

$\square \times 9 = 3 \times 3$

( 1 )
❖ $3 \times 3 = 9 \rightarrow \square \times 9 = 9 \rightarrow \square = 1$

**3** 곱셈표를 보고 물음에 답하세요.

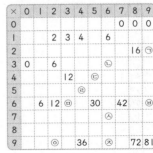

| × | 0 | 1 | 2 | 3 | 4 | 5 | 6 | 7 | 8 | 9 |
|---|---|---|---|---|---|---|---|---|---|---|
| 0 |   |   |   |   |   |   |   | 0 | 0 | 0 |
| 1 |   |   | 2 | 3 | 4 |   | 6 |   |   |   |
| 2 |   |   |   |   |   |   |   |   | 16 | ㉠ |
| 3 | 0 |   | 6 |   |   | ㉡ |   |   |   |   |
| 4 |   |   | 12 | ㉢ |   |   |   |   |   |   |
| 5 |   |   |   | ㉣ |   |   |   |   |   |   |
| 6 |   | 6 | 12 | ㉤ |   | 30 |   | 42 |   | ㉥ |
| 7 |   |   |   |   |   |   |   | ㉦ |   |   |
| 8 |   |   |   |   |   |   |   |   |   |   |
| 9 |   |   | ㉧ |   | 36 |   | ㉨ |   | 72 | 81 |

(1) 곱이 20인 칸을 모두 찾아 기호를 써 보세요.
( ㉢, ㉣ )
❖ $4 \times 5 = 20$, $5 \times 4 = 20$
(2) 곱이 18인 칸을 모두 찾아 기호를 써 보세요.
( ㉠, ㉡, ㉤, ㉧ )
❖ $2 \times 9 = 18$, $3 \times 6 = 18$, $6 \times 3 = 18$, $9 \times 2 = 18$
(3) 곱이 54인 칸을 모두 찾아 기호를 써 보세요.
( ㉥, ㉨ )
❖ $6 \times 9 = 54$, $9 \times 6 = 54$

32 · Jump 2-2
2. 곱셈구구 · 33

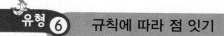

## 유형 6  규칙에 따라 점 잇기  *창의·융합*

**1** 보기와 같이 주어진 곱셈구구 값의 일의 자리 숫자들을 차례로 선으로 이어 보세요.

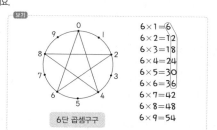

보기

6단 곱셈구구

$6 \times 1 = 6$
$6 \times 2 = 12$
$6 \times 3 = 18$
$6 \times 4 = 24$
$6 \times 5 = 30$
$6 \times 6 = 36$
$6 \times 7 = 42$
$6 \times 8 = 48$
$6 \times 9 = 54$

❶

4단 곱셈구구

❷

8단 곱셈구구

❖ $4 \times 1 = \underline{4}$   $4 \times 6 = \underline{24}$    ❖ $8 \times 1 = \underline{8}$   $8 \times 6 = 48$
$4 \times 2 = \underline{8}$   $4 \times 7 = 28$    $8 \times 2 = \underline{16}$   $8 \times 7 = 56$
$4 \times 3 = \underline{12}$   $4 \times 8 = 32$    $8 \times 3 = \underline{24}$   $8 \times 8 = 64$
$4 \times 4 = \underline{16}$   $4 \times 9 = 36$    $8 \times 4 = \underline{32}$   $8 \times 9 = 72$
$4 \times 5 = \underline{20}$                $8 \times 5 = \underline{40}$

---

❖ $7 \times 1 = \underline{7}$   $7 \times 4 = 28$   $7 \times 7 = 49$
    $7 \times 2 = \underline{14}$   $7 \times 5 = 35$   $7 \times 8 = 56$
    $7 \times 3 = \underline{21}$   $7 \times 6 = 42$   $7 \times 9 = 63$

정답과 풀이 9쪽

**2** 주어진 곱셈구구 값의 일의 자리 숫자들을 차례로 선으로 이어 보세요.

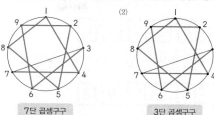

(1)              (2)

7단 곱셈구구       3단 곱셈구구

❖ $3 \times 1 = 3$   $3 \times 4 = \underline{12}$   $3 \times 7 = \underline{21}$
$3 \times 2 = 6$   $3 \times 5 = \underline{15}$   $3 \times 8 = \underline{24}$
$3 \times 3 = \underline{9}$   $3 \times 6 = \underline{18}$   $3 \times 9 = \underline{27}$

**3** 보기와 같이 선으로 이은 두 수의 곱이 🌼 안의 수가 되도록 두 수를 이어 보세요.

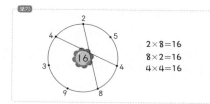

보기

16

$2 \times 8 = 16$
$8 \times 2 = 16$
$4 \times 4 = 16$

(1)

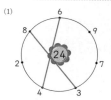

24

(2)

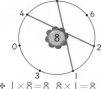

8

❖ $3 \times 8 = 24, \ 8 \times 3 = 24,$    ❖ $1 \times 8 = 8, \ 8 \times 1 = 8,$
   $4 \times 6 = 24, \ 6 \times 4 = 24$     $2 \times 4 = 8, \ 4 \times 2 = 8$

---

## 사고력 종합 평가

**1** 말의 다리는 모두 몇 개인지 구해 보세요.

(1) 말 한 마리의 다리는 몇 개일까요?

(    4개    )

(2) 말의 다리는 모두 몇 개일까요?

식    $4 \times 6 = 24$    답    24개

❖ 다리가 4개씩 6마리이므로 모두 $4 \times 6 = 24$(개)입니다.

**2** 그림을 보고 덧셈식과 곱셈식으로 나타내어 보세요.

덧셈식   $5+5+5+5+5+5 = 30$

곱셈식   $5 \times 6 = 30$

❖ 땅콩을 5개씩 묶으면 6묶음이므로
$5+5+5+5+5+5 = 30, \ 5 \times 6 = 30$입니다.

**3** 지우개가 모두 몇 개인지 4가지 곱셈식으로 나타내어 보세요.

$6 \times 4 = 24$   $4 \times 6 = 24$

$3 \times 8 = 24$   $8 \times 3 = 24$

❖ 지우개는 6개씩 4묶음, 4개씩 6묶음, 3개씩 8묶음,
8개씩 3묶음이므로 모두 24개입니다.

---

정답과 풀이 9쪽

**4** 두 모양의 색칠된 곳에는 서로 같은 수가 들어갑니다. 빈 곳에 알맞은 수를 써넣으세요.

3 → 12       5 → 35
5 → 20       7 → 49
4 ×    7 → 28      7 ×    8 → 56
8 → 32       9 → 63

❖ $4 \times 3 = 12, \ 4 \times 5 = 20, \ 4 \times \square = 28$에서 $\square = 7$,
$4 \times \square = 32$에서 $\square = 8$
$7 \times 5 = 35, \ 7 \times 7 = 49, \ 7 \times \square = 56$에서 $\square = 8, \ 7 \times 9 = 63$

**5** 수 카드를 모두 한 번씩만 사용하여 곱셈식을 완성해 보세요.

0   8   4   →   $5 \times 8 = 40$

❖ 5단 곱셈구구에서 곱하는 수가 0, 8, 4인 경우를 차례로 알아봅니다.
$5 \times 0 = 0, \ 5 \times 8 = 40, \ 5 \times 4 = 20$
수 카드를 한 번씩만 사용한 경우는 $5 \times 8 = 40$입니다.

**6** 빈칸에 알맞은 수를 써넣으세요.

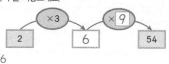

2   ×3 → 6   ×9 → 54

❖ $2 \times 3 = 6$

$6 \times \square = 54 \rightarrow \square = 9$

**사고력 종합 평가**

정답과 풀이 10쪽

**7** 수 카드 6장 중 2장을 골라 곱셈식을 완성해 보세요.

(1) 2 8 5 7 9 6

→ 8 × 9 =72 → 또는 9×8=72

(2) 1 4 3 7 9 8

→ 4 × 9 =36 → 또는 9×4=36

❖ (1) 수 카드의 수 중 곱해서 72가 되는 두 수는 8과 9입니다.
   (2) 수 카드의 수 중 곱해서 36이 되는 두 수는 4와 9입니다.

**8** 0부터 9까지의 수 중 □ 안에 들어갈 수 있는 수는 몇 개일까요?

□×0=0

( 10개 )

❖ 어떤 수와 0의 곱은 항상 0이므로 □ 안에는 0부터 9까지의
   수 10개가 모두 들어갈 수 있습니다.

**9** □ 안에 공통으로 들어갈 수 있는 수를 구해 보세요.

6×□=6    □×3=3
9×□=9    □×4=4

( 1 )

❖ (어떤 수)×□=(어떤 수), □×(어떤 수)=(어떤 수)이면 □=1
   입니다.

38 · Jump 2-2

[10~11] 곱셈표를 보고 물음에 답하세요.

| × | 2 | 3 | 4 | 5 | 6 | 7 | 8 |
|---|---|---|---|---|---|---|---|
| 2 |   |   |   | 10 |   |   |   |
| ㉠ | 8 |   | 16 |   |   | 28 |   |
| 6 |   | 18 |   |   | 36 |   |   |
| 8 |   | ㉡ |   | 40 |   |   | 64 |

**10** ㉠, ㉡에 알맞은 수를 각각 구해 보세요.

㉠ ( 4 ), ㉡ ( 24 )

❖ ㉠×2=8 ➔ ㉠=4
   8×3=㉡ ➔ ㉡=24

**11** 곱셈표에서 8×6과 곱이 같은 곱셈구구를 써 보세요.

( 6×8 )

❖ 8×6=48, 6×8=48

**12** 선으로 이은 두 수의 곱이 ✿ 안의 수가 되도록 두 수를 이어 보세요.

(1)
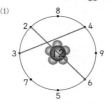

(2)
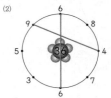

❖ 2×6=12, 6×2=12,    ❖ 9×4=36, 4×9=36,
   3×4=12, 4×3=12        6×6=36

2. 곱셈구구 · 39

40쪽

**사고력 종합 평가**

정답과 풀이 10쪽

**13** 수 카드를 모두 한 번씩만 사용하여 두 곱셈식을 완성해 보세요.

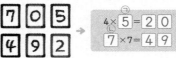

4×5=20
7×7=49

❖ ㉠과 ㉡에 수 카드의 수를 각각 써넣어 보고 수 카드의 수가 모
   두 한 번씩만 들어가는지 확인합니다.
   4×5=20, 7×7=49

**14** 보기와 같은 규칙으로 빈 곳에 알맞은 수를 써넣으세요.

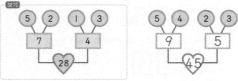

❖ ◯ ◯ 두 수를 더하고 □ □ 두 수를 곱하는 규칙입니다.

5+4=9   2+3=5

9×5=45

**15** 하선이는 9살입니다. 하선이 어머니의 나이는 하선이 나이의 4배보다 3살 적습
   니다. 하선이 어머니는 몇 살일까요?

( 33살 )

❖ 하선이 나이의 4배는 9×4=36이고 이보다 3살 적으면
   36−3=33이므로 하선이 어머니는 33살입니다.

40 · Jump 2-2

[GO! 매쓰]
여기까지 2단원 내용입니다.
다음부터는 3단원 내용이
시작합니다.

## 유형 ① 끈의 길이 구하기  `문제 해결`

**1** 길이가 5 m 70 cm인 끈으로 다음과 같이 상자를 묶었습니다. 매듭의 길이가 35 cm일 때 상자를 묶고 남은 끈의 길이는 몇 m 몇 cm인지 구해 보세요.

❶ □ 안에 알맞은 수를 써넣으세요.

상자를 65 cm인 끈을 **2** 번, 35 cm인 끈을 **2** 번, 20 cm인 끈을 **4** 번 사용하여 묶고 매듭을 묶었습니다.

❷ 상자를 묶을 때 사용한 끈의 길이는 몇 m 몇 cm일까요?
( **3 m 15 cm** )

✧ 65+65=130 (cm), 35+35=70 (cm), 20+20+20+20=80 (cm)
130 cm=1 m 30 cm ➡ 1 m 30 cm+70 cm+80 cm+35 cm
　　　　　　　　　　=2 m+80 cm+35 cm
　　　　　　　　　　=2 m 115 cm=3 m 15 cm

❸ 상자를 묶고 남은 끈의 길이는 몇 m 몇 cm일까요?
( **2 m 55 cm** )

✧ 5 m 70 cm−3 m 15 cm=2 m 55 cm

**2** 다음과 같이 상자를 끈으로 묶었습니다. 상자를 묶은 매듭의 길이가 25 cm일 때 상자를 묶는 데 사용한 끈의 길이는 몇 m 몇 cm인지 구해 보세요.

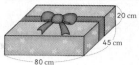

( **2 m 25 cm** )

✧ 80 cm인 끈을 2번, 20 cm인 끈을 2번 사용하여 묶고 매듭을 묶었습니다.
➡ 80+80=160 (cm), 20+20=40 (cm)
160 cm=1 m 60 cm ➡ 1 m 60 cm+40 cm+25 cm
　　　　　　　　　　=2 m+25 cm=2 m 25 cm

**3** 다음과 같이 상자를 끈으로 묶었습니다. 매듭으로 사용한 끈의 길이가 30 cm일 때 상자를 묶는 데 사용한 끈의 길이는 몇 m 몇 cm인지 구해 보세요.

( **4 m 70 cm** )

✧ 45 cm인 끈을 2번, 35 cm인 끈을 2번, 70 cm인 끈을 4번 사용하여 묶고 매듭을 묶었습니다.
➡ 45+45=90 (cm), 35+35=70 (cm), 70+70+70+70=280 (cm)
280 cm=2 m 80 cm ➡ 90 cm+70 cm+2 m 80 cm+30 cm
　　　　　　　　　　=160 cm+2 m 80 cm+30 cm
　　　　　　　　　　=1 m 60 cm+2 m 80 cm+30 cm
　　　　　　　　　　=3 m 140 cm+30 cm
　　　　　　　　　　=4 m 40 cm+30 cm=4 m 70 cm

---

## 유형 ② 둘레 구하기  `추론`

**1** 색칠한 부분의 둘레의 길이는 몇 m 몇 cm인지 구해 보세요.

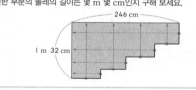

❶ 빨간색 선(○)의 길이의 합은 몇 m 몇 cm일까요?
( **2 m 46 cm** )

✧ 246 cm=2 m 46 cm

❷ 파란색 선(△)의 길이의 합은 몇 m 몇 cm일까요?
( **1 m 32 cm** )

❸ 색칠한 부분의 둘레의 길이는 몇 m 몇 cm일까요?
( **7 m 56 cm** )

✧ 2 m 46 cm+2 m 46 cm=4 m 92 cm
1 m 32 cm+1 m 32 cm=2 m 64 cm
➡ 4 m 92 cm+2 m 64 cm=6 m 156 cm
　　　　　　　　　　　=7 m 56 cm

**2** 색칠한 부분의 둘레의 길이는 몇 m 몇 cm인지 구해 보세요.

(1)

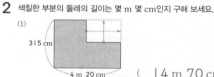

( **14 m 70 cm** )

(2)

( **4 m 82 cm** )

✧ (1) 315 cm=3 m 15 cm ➡ 3 m 15 cm+3 m 15 cm=6 m 30 cm
4 m 20 cm+4 m 20 cm=8 m 40 cm
➡ 6 m 30 cm+8 m 40 cm=14 m 70 cm
(2) 117 cm=1 m 17 cm, 124 cm=1 m 24 cm
1 m 17 cm+1 m 17 cm=2 m 34 cm, 1 m 24 cm+1 m 24 cm=2 m 48 cm
➡ 2 m 34 cm+2 m 48 cm=4 m 82 cm

**3** 색칠한 부분의 둘레의 길이는 몇 m 몇 cm인지 구해 보세요.

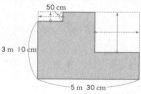

( **17 m 80 cm** )

✧ 3 m 10 cm+50 cm=3 m 60 cm
➡ 3 m 60 cm+3 m 60 cm=6 m 120 cm=7 m 20 cm,
5 m 30 cm+5 m 30 cm=10 m 60 cm
➡ 7 m 20 cm+10 m 60 cm=17 m 80 cm

정답과 풀이 12쪽

**유형 3** **이어 붙인 길이 구하기** 〔문제 해결〕

**1** 길이가 각각 2 m 14 cm인 색 테이프 3장을 그림과 같이 이어 붙였습니다. 색 테이프의 겹쳐진 부분의 길이가 5 cm일 때 이어 붙인 색 테이프의 전체 길이는 몇 m 몇 cm인지 구해 보세요.

5 cm     5 cm

❶ 길이가 각각 2 m 14 cm인 색 테이프 3장의 길이의 합은 몇 m 몇 cm일까요?

( 6 m 42 cm )

❖ 2 m 14 cm+2 m 14 cm+2 m 14 cm
=4 m 28 cm+2 m 14 cm
=6 m 42 cm

❷ 색 테이프의 겹쳐진 두 부분의 길이의 합은 몇 cm일까요?

( 10 cm )

❖ 5 cm+5 cm=10 cm

❸ 이어 붙인 색 테이프의 전체 길이는 몇 m 몇 cm일까요?

( 6 m 32 cm )

❖ 6 m 42 cm−10 cm=6 m 32 cm

**2** 길이가 4 m인 색 테이프와 62 cm인 색 테이프를 겹치지 않게 이어 붙였습니다. 이어 붙인 색 테이프의 전체 길이는 몇 cm인지 구해 보세요.

4 m
62 cm

( 462 cm )

❖ 이어 붙인 색 테이프의 전체 길이는
4 m+62 cm=4 m 62 cm입니다.
➡ 4 m 62 cm=400 cm+62 cm=462 cm

**3** 색 테이프 두 장을 그림과 같이 겹치게 이어 붙였습니다. 이어 붙인 색 테이프의 전체 길이는 몇 m 몇 cm인지 구해 보세요.

2 m 29 cm
7 m 36 cm     8 m 40 cm

( 13 m 47 cm )

❖ (색 테이프 두 장의 길이의 합)
=7 m 36 cm+8 m 40 cm=15 m 76 cm
➡ (이어 붙인 색 테이프의 전체 길이)
=15 m 76 cm−2 m 29 cm=13 m 47 cm

---

정답과 풀이 12쪽

**유형 4** **합 또는 차 구하기** 〔창의·융합〕

**1** 수 카드 6장 중 3장을 골라 한 번씩 사용하여 길이 ■ m ▲● cm를 만들려고 합니다. 두 번째로 긴 길이와 두 번째로 짧은 길이의 차는 몇 m 몇 cm인지 구해 보세요. (단, ■, ▲, ●는 한 자리 수입니다.)

2  3  5  7  8  9

❶ 수 카드 6장 중 3장을 골라 한 번씩 사용하여 만들 수 있는 가장 긴 길이와 두 번째로 긴 길이를 각각 만들어 보세요.

가장 긴 길이: 9 m 87 cm
두 번째로 긴 길이: 9 m 85 cm

❷ 수 카드 6장 중 3장을 골라 한 번씩 사용하여 만들 수 있는 가장 짧은 길이와 두 번째로 짧은 길이를 각각 만들어 보세요.

가장 짧은 길이: 2 m 35 cm
두 번째로 짧은 길이: 2 m 37 cm

❖ 2<3<5<7<8<9이므로 가장 짧은 길이는 2, 3, 5로 만든 2 m 35 cm, 두 번째로 짧은 길이는 2, 3, 7로 만든 2 m 37 cm입니다.

❸ 두 번째로 긴 길이와 두 번째로 짧은 길이의 차는 몇 m 몇 cm인지 구해 보세요.

( 7 m 48 cm )

❖ 9 m 85 cm−2 m 37 cm=7 m 48 cm

**2** 수 카드 3장을 한 번씩 사용하여 길이 ■ m ▲● cm를 만들려고 합니다. 가장 긴 길이를 만들고 1 m 19 cm와의 합을 구해 보세요. (단, ■, ▲, ●는 한 자리 수입니다.)

8  6  7

가장 긴 길이: 8 m 76 cm

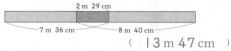

8 m 76 cm
+ 1 m 19 cm
9 m 95 cm

❖ 8>7>6이므로 가장 긴 길이를 만들려면 m 단위부터 가장 큰 수를 넣어야 합니다.
➡ 8 m 76 cm

**3** 수 카드 6장 중 3장을 골라 한 번씩 사용하여 길이 ■ m ▲● cm를 만들려고 합니다. 가장 긴 길이와 가장 짧은 길이를 각각 만들고 그 합을 구해 보세요. (단, ■, ▲, ●는 한 자리 수입니다.)

1  2  3  4  5  6

가장 긴 길이: 6 m 54 cm
가장 짧은 길이: 1 m 23 cm

6 m 54 cm
+ 1 m 23 cm
7 m 77 cm

❖ 6>5>4>3>2>1이므로 가장 긴 길이는 6, 5, 4로 만든 6 m 54 cm, 1<2<3<4<5<6이므로 가장 짧은 길이는 1, 2, 3으로 만든 1 m 23 cm입니다.

## 유형 ⑤ 가까운(먼) 거리 찾기 (문제 해결)

**1** 집에서 마트까지 갈 때 학교와 놀이터 중 어느 곳을 거쳐서 가는 거리가 몇 m 몇 cm 더 가까운지 구해 보세요.

❶ 집에서 학교를 거쳐서 마트로 가는 거리는 몇 m 몇 cm일까요?
( 63 m 67 cm )
✧ 36 m 18 cm+27 m 49 cm=63 m 67 cm

❷ 집에서 놀이터를 거쳐서 마트로 가는 거리는 몇 m 몇 cm일까요?
( 67 m 97 cm )
✧ 35 m 62 cm+32 m 35 cm=67 m 97 cm

❸ 학교와 놀이터 중 어느 곳을 거쳐서 가는 거리가 몇 m 몇 cm 더 가까울까요?
( 학교 ), ( 4 m 30 cm )
✧ 67 m 97 cm−63 m 67 cm=4 m 30 cm

**2** 준수가 약국에서 경찰서를 지나 집까지 가는 거리는 몇 cm일까요?

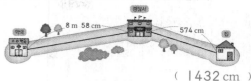

( 1432 cm )

✧ 574 cm=5 m 74 cm
➜ (약국~경찰서~집)=(약국~경찰서)+(경찰서~집)
  =8 m 58 cm+5 m 74 cm
  =13 m 132 cm
  =14 m 32 cm ➜ 1432 cm

**3** 시청에서 은행을 거쳐 우체국까지 가는 거리는 시청에서 우체국까지 바로 가는 거리보다 몇 m 몇 cm 더 먼지 구해 보세요.

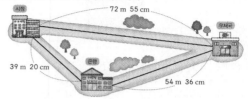

( 21 m 1 cm )

✧ (시청~은행~우체국)=(시청~은행)+(은행~우체국)
  =39 m 20 cm+54 m 36 cm
  =93 m 56 cm
➜ 93 m 56 cm−72 m 55 cm=21 m 1 cm

---

## 유형 ⑥ 알맞은 수 구하기 (추론)

**1** □ 안에 알맞은 수를 써넣으세요.

(1)
```
    2 m  14 cm
  + 1 m  3 5 cm
  ───────────
    3 m  4 9 cm
```

(2)
```
    4 m  4 7 cm
  − 2 m  24 cm
  ───────────
    2 m  2 3 cm
```

❶ 위 길이의 합을 구하는 식을 보고 □ 안에 알맞은 수를 써넣으세요.

cm 단위의 계산: ■+35=49 ➜ 49−35=■, ■=14

m 단위의 계산: 2+■=3 ➜ 3−2=■, ■=1

❷ 위 길이의 차를 구하는 식을 보고 □ 안에 알맞은 수를 써넣으세요.

cm 단위의 계산: 47−■=23 ➜ ■+23=47, 47−23=■, ■=24

m 단위의 계산: ■−2=2 ➜ 2+2=■, ■=4

❸ □ 안에 알맞은 수를 써넣으세요.

**2** □ 안에 알맞은 수를 써넣으세요.

(1)
```
    3 m  37 cm
  + 3 m  2 6 cm
  ───────────
    6 m  6 3 cm
```

(2)
```
    7 m  82 cm
  − 3 m  3 8 cm
  ───────────
    4 m  4 4 cm
```

✧ (1) cm 단위: ⓛ+26=63 ➜ 63−26=ⓛ, ⓛ=37
  m 단위: 3+㉠=6 ➜ 6−3=㉠, ㉠=3
(2) cm 단위: ⓛ−38=44 ➜ 38+44=ⓛ, ⓛ=82
  m 단위: ㉠−3=4 ➜ 3+4=㉠, ㉠=7

**3** □ 안에 알맞은 수를 써넣으세요.

(1)
```
    3 m  7 9 cm
  + 4 m  75 cm
  ───────────
    8 m  5 4 cm
```

(2)
```
    8 m  2 0 cm
  − 4 m  80 cm
  ───────────
    3 m  4 0 cm
```

✧ (1) cm 단위: 79>54이므로 받아올림이 있습니다.
  79+ⓛ=154 ➜ 154−79=ⓛ, ⓛ=75
  m 단위: 1+㉠+4=8 ➜ ㉠+5=8, 8−5=㉠, ㉠=3
(2) cm 단위: 40>20이므로 받아내림이 있습니다.
  100+20−ⓛ=40 ➜ 120−ⓛ=40,
  ⓛ+40=120, 120−40=ⓛ, ⓛ=80
  m 단위: 8−1−㉠=3 ➜ 7−㉠=3, ㉠+3=7,
  7−3=㉠, ㉠=4

사고력 종합 평가

정답과 풀이 14쪽

**1** 가로등의 높이가 4 m일 때 건물의 높이는 약 몇 m일까요?

( 약 8 m )

❖ 가로등의 높이가 눈금 2칸을 차지하고 있으므로 눈금 한 칸은 약 2 m입니다.
따라서 건물의 높이는 눈금 4칸이므로 약 8 m입니다.

**2** 텔레비전의 긴 쪽의 길이는 몇 m 몇 cm인지 구해 보세요.

( 1 m 50 cm )

❖ 0과 100 cm 사이가 10칸이므로 작은 눈금 한 칸은 10 cm를 나타냅니다. 텔레비전의 긴 쪽의 길이는 작은 눈금 15칸이므로 150 cm입니다. ➡ 150 cm=1 m 50 cm
[다른 풀이] 텔레비전의 긴 쪽의 길이는 눈금 80부터 230까지이므로 230−80 = 150 (cm)입니다.
➡ 150 cm=1 m 50 cm

**3** 가영이의 키는 1 m 38 cm이고 오빠의 키는 가영보다 20 cm 더 큽니다. 가영이와 오빠의 키의 합은 몇 m 몇 cm일까요?

( 2 m 96 cm )

❖ (오빠의 키)=1 m 38 cm+20 cm=1 m 58 cm
➡ (가영이와 오빠의 키의 합)=1 m 38 cm+1 m 58 cm
=2 m 96 cm

**4** 다음과 같이 끈으로 상자를 묶었습니다. 상자를 묶는 매듭의 길이가 25 cm일 때 상자를 묶는 데 사용한 끈의 길이는 몇 m 몇 cm인지 구해 보세요.

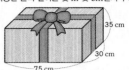

( 3 m 75 cm )

❖ 75 cm인 끈을 2번, 30 cm인 끈을 2번, 35 cm인 끈을 4번 사용하여 묶고 매듭을 묶었습니다.
➡ 75+75 = 150 (cm), 30+30 = 60 (cm), 35+35+35+35 = 140 (cm)
➡ 150 cm=1 m 50 cm, 140 cm=1 m 40 cm
➡ 1 m 50 cm+60 cm+1 m 40 cm+25 cm
=2 m 10 cm+1 m 40 cm+25 cm=3 m 50 cm+25 cm=3 m 75 cm

**5** 색칠한 부분의 둘레의 길이는 몇 m 몇 cm일까요?

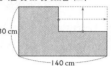

( 4 m 40 cm )

❖ 140 cm=1 m 40 cm
➡ 1 m 40 cm+1 m 40 cm=2 m 80 cm
80 cm+80 cm=160 cm=1 m 60 cm
➡ 2 m 80 cm+1 m 60 cm=3 m 140 cm
=4 m 40 cm

**6** 정호는 한 바퀴 굴리면 1 m 23 cm 가는 굴렁쇠를 3바퀴 굴렸습니다. 굴렁쇠가 굴러간 거리는 몇 m 몇 cm인지 구해 보세요.

( 3 m 69 cm )

❖ (굴렁쇠를 3바퀴 굴린 거리)
=1 m 23 cm+1 m 23 cm+1 m 23 cm
=2 m 46 cm+1 m 23 cm
=3 m 69 cm

---

사고력 종합 평가

정답과 풀이 14쪽

**7** 수직선을 보고 ㉯와 ㉰ 사이의 거리는 몇 m 몇 cm인지 구해 보세요.

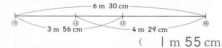

( 1 m 55 cm )

❖ (㉯와 ㉰ 사이의 거리)=(㉮~㉯)+(㉯~㉱)−(㉮~㉱)
=3 m 56 cm+4 m 29 cm−6 m 30 cm
=7 m 85 cm−6 m 30 cm=1 m 55 cm

**8** 색 테이프 두 장을 그림과 같이 겹치도록 이어 붙였습니다. 이어 붙인 색 테이프의 전체 길이는 몇 m 몇 cm인지 구해 보세요.

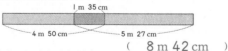

( 8 m 42 cm )

❖ (색 테이프 두 장의 길이의 합)
=4 m 50 cm+5 m 27 cm=9 m 77 cm
➡ (이어 붙인 색 테이프의 전체 길이)
=9 m 77 cm−1 m 35 cm=8 m 42 cm

**9** 수 카드 3장을 한 번씩 사용하여 길이 ■ m ▲● cm를 만들려고 합니다. 가장 짧은 길이를 만들고 2 m 54 cm와의 합을 구해 보세요. (단, ■, ▲, ●는 한 자리 수입니다.)

1 3 4

가장 짧은 길이: 1 m 3 4 cm
➡ 1 m 3 4 cm
+ 2 m 5 4 cm
3 m 8 8 cm

❖ 1<3<4이므로 만들 수 있는 가장 짧은 길이는 1 m 34 cm입니다.

**10** 수 카드 6장 중 3장을 골라 한 번씩 사용하여 길이 ■ m ▲● cm를 만들려고 합니다. 두 번째로 긴 길이와 두 번째로 짧은 길이의 차를 구해 보세요.
(단, ■, ▲, ●는 한 자리 수입니다.)

1 3 4 6 7 8

( 7 m 38 cm )

❖ 8>7>6>4>3>1이므로 두 번째로 긴 길이는 8, 7, 4로 만든 8 m 74 cm입니다. 1<3<4<6<7<8이므로 두 번째로 짧은 길이는 1, 3, 6으로 만든 1 m 36 cm입니다.
➡ 8 m 74 cm−1 m 36 cm=7 m 38 cm

**11** 병원에서 학교를 거쳐 집으로 가는 거리는 병원에서 집으로 바로 가는 거리보다 몇 m 몇 cm 더 먼지 구해 보세요.

( 13 m 22 cm )

❖ (병원~학교~집)=(병원~학교)+(학교~집)
=41 m 25 cm+52 m 49 cm=93 m 74 cm
➡ 93 m 74 cm−80 m 52 cm=13 m 22 cm

**12** □ 안에 알맞은 수를 써넣으세요.

7 m 3 6 cm
+ ㉠ 1 m 1 4 cm
8 m 5 0 cm

❖ cm 단위: ㉡+14=50 ➡ 50−14=㉡, ㉡=36
m 단위: 7+㉠=8 ➡ 8−7=㉠, ㉠=1

사고력 종합 평가

정답과 풀이 15쪽

**13** 길이가 750 cm인 철사를 구부려서 겹치지 않게 다음과 같은 삼각형을 한 개 만들었습니다. 이 삼각형의 두 변의 길이가 다음과 같을 때 나머지 한 변의 길이는 몇 m 몇 cm인지 구해 보세요.

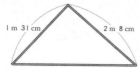

1 m 31 cm    2 m 8 cm

( **4 m 11 cm** )

❖ (철사로 만든 삼각형의 세 변의 길이의 합)=(철사의 전체 길이)
750 cm=7 m 50 cm
(주어진 두 변의 길이의 합)=1 m 31 cm+2 m 8 cm=3 m 39 cm
➡ (나머지 한 변의 길이)=(세 변의 길이의 합)−(두 변의 길이의 합)
=7 m 50 cm−3 m 39 cm
=4 m 11 cm

**14** 영지의 한 뼘은 12 cm입니다. 책상의 긴 쪽의 길이는 영지의 한 뼘의 길이의 약 10배라고 할 때 책상의 긴 쪽의 길이는 약 몇 m 몇 cm인지 구해 보세요.

( **약 1 m 20 cm** )

❖ 12+12+12+12+12+12+12+12+12+12=120 (cm)
➡ 120 cm=1 m 20 cm이므로 책상의 긴 쪽의 길이는
약 1 m 20 cm입니다.

**15** 0부터 9까지의 수 중 □ 안에 들어갈 수 있는 수는 모두 몇 개일까요?

4 m 38 cm < 4 □ 6 cm

( **6개** )

❖ 4□6 cm=4 m □6 cm
38<□6이므로 □는 3보다 큰 수여야 합니다.
➡ □=4, 5, 6, 7, 8, 9이므로 6개입니다.

58 · Jump 종합 2−2

[GO! 매쓰]
여기까지 3단원 내용입니다.
다음부터는 4단원 내용이
시작합니다.

---

유형 **1**  **거울에 비친 시계 보기**  추론

정답과 풀이 15쪽

**1** 다음은 거울에 비친 시계의 모습입니다. 이 시계가 나타내는 시각은 몇 시 몇 분인지 알아보세요.

❶ 짧은바늘은 어떤 숫자와 어떤 숫자 사이를 가리키고 있나요?
( **10** )와/과 ( **11** ) 사이

❷ 긴바늘은 어떤 숫자를 가리키고 있나요?
( **5** )

❸ 이 시계가 나타내는 시각은 몇 시 몇 분일까요?
( **10시 25분** )

❖ 짧은바늘은 10과 11 사이를 가리키고, 긴바늘은 5를 가리키므로 10시 25분입니다.

**2** 정호가 거울에 비친 시계를 보았더니 왼쪽 그림과 같았습니다. 왼쪽 시계가 나타내는 시각에 맞게 오른쪽 시계에 시곗바늘을 그려 넣고 몇 시 몇 분 전인지 써 보세요.

( **4시 10분 전** )

❖ 짧은바늘이 3과 4 사이를 가리키므로 3시이고 긴바늘이 10을 가리키므로 50분입니다.
따라서 시계가 나타내는 시각은 3시 50분이고 4시 10분 전입니다.

**3** 나은이와 승기가 학교에서 집에 도착했을 때 거울에 비친 시계입니다. 누가 집에 더 먼저 도착했을까요?

나은          승기

( **나은** )

❖ 나은이가 도착한 시각은 4시 35분이고, 승기가 도착한 시각은 5시 5분이므로 나은이가 더 먼저 도착했습니다.

## 유형 ② 더 오래 한 사람 찾기 〔문제 해결〕

**1** 진수와 영미가 운동을 시작한 시각과 끝낸 시각입니다. 운동을 더 오래 한 사람은 누구인지 알아보세요.

❶ 진수가 운동한 시간은 몇 시간 몇 분일까요?

( 1시간 25분 )

❖ 운동을 시작한 시각: 2시, 운동을 끝낸 시각: 3시 25분

2시 $\xrightarrow{\text{1시간 후}}$ 3시 $\xrightarrow{\text{25분 후}}$ 3시 25분

❷ 영미가 운동한 시간은 몇 시간 몇 분일까요?

( 1시간 10분 )

❖ 운동을 시작한 시각: 7시 30분, 운동을 끝낸 시각: 8시 40분

7시 30분 $\xrightarrow{\text{1시간 후}}$ 8시 30분 $\xrightarrow{\text{10분 후}}$ 8시 40분

❸ 누가 운동을 더 오래 했을까요?

( 진수 )

❖ 운동을 진수는 1시간 25분, 영미는 1시간 10분 했습니다.
➡ 1시간 25분 > 1시간 10분이므로 운동을 더 오래 한 사람은 진수입니다.

---

**2** 영재가 학교에 도착한 시각과 학교에서 나온 시각을 나타낸 것입니다. 영재가 학교에 있었던 시간은 몇 시간 몇 분일까요?

( 6시간 30분 )

❖ 오전 9시 30분 $\xrightarrow{\text{6시간 후}}$ 오후 3시 30분 $\xrightarrow{\text{30분 후}}$ 오후 4시
따라서 영재가 학교에 있었던 시간은 6시간 30분입니다.

**3** 수근이와 호동이가 공부를 시작한 시각과 끝낸 시각입니다. 공부를 더 오래 한 사람은 누구일까요?

| | 시작한 시각 | 끝낸 시각 |
|---|---|---|
| 수근 | 2시 15분 | 4시 |
| 호동 | 3시 40분 | 5시 15분 |

( 수근 )

❖ · 수근: 2시 15분 $\xrightarrow{\text{1시간 후}}$ 3시 15분 $\xrightarrow{\text{45분 후}}$ 4시 ➡ 1시간 45분
· 호동: 3시 40분 $\xrightarrow{\text{1시간 후}}$ 4시 40분 $\xrightarrow{\text{20분 후}}$ 5시 $\xrightarrow{\text{15분 후}}$ 5시 15분
➡ 1시간 35분

➡ 1시간 45분 > 1시간 35분이므로 공부를 더 오래 한 사람은 수근입니다.

---

## 유형 ③ 고장난 시계의 시각 구하기 〔문제 해결〕

**1** 1시간에 3분씩 빨라지는 시계가 있습니다. 이 시계의 시각을 오늘 오전 10시에 정확하게 맞추었습니다. 오늘 오후 5시에 이 시계가 나타내는 시각은 몇 시 몇 분인지 구하고, 오른쪽 시계에 나타내어 보세요.

❶ 오전 10시에서 오후 5시까지 몇 시간이 지났을까요?

( 7시간 )

❖ 오전 10시 $\xrightarrow{\text{2시간 후}}$ 낮 12시 $\xrightarrow{\text{5시간 후}}$ 오후 5시
➡ 2+5=7(시간)이 지났습니다.

❷ 이 시계는 오전 10시에서 오후 5시까지 몇 분 빨라질까요?

( 21분 )

❖ 1시간에 3분씩 빨라지므로 7시간에는 3×7=21(분) 빨라집니다.

❸ 오후 5시에 이 시계가 나타내는 시각을 쓰고, 위의 오른쪽 시계에 시곗바늘을 그려 넣으세요.

( 오전 . 오후 ) 5 시 21 분

❖ 21분 빨라지므로 오늘 오후 5시에 이 시계가 나타내는 시각은 오후 5시 21분입니다.

---

**2** 1시간에 1분씩 빨라지는 시계가 있습니다. 이 시계의 시각을 오늘 오전 9시에 정확하게 맞추었습니다. 오늘 오후 6시에 이 시계가 나타내는 시각은 몇 시 몇 분인지 구하고, 오른쪽 시계에 나타내어 보세요.

( 오후 6시 9분 )

❖ 오늘 오전 9시부터 오후 6시까지는 9시간입니다.
시계는 1시간에 1분씩 빨라지므로 9시간 동안 1×9=9(분) 빨라집니다.
따라서 오늘 오후 6시에 이 시계가 나타내는 시각은 오후 6시 9분입니다.

**3** 1시간에 2분씩 빨라지는 시계가 있습니다. 이 시계의 시각을 오늘 오전 11시에 정확하게 맞추었습니다. 오늘 오후 7시에 이 시계가 나타내는 시각은 몇 시 몇 분인지 구하고, 오른쪽 시계에 나타내어 보세요.

( 오후 7시 16분 )

❖ 오늘 오전 11시부터 오후 7시까지는 8시간입니다.
시계는 1시간에 2분씩 빨라지므로 8시간 동안 2×8=16(분) 빨라집니다.
따라서 오늘 오후 7시에 이 시계가 나타내는 시각은 오후 7시 16분입니다.

## 유형 ④ 달력의 일부 보고 날짜 구하기 　추론

**1** 어느 해 3월 달력의 일부입니다. 이달의 토요일의 날짜의 합을 알아보세요.

❶ 일주일은 며칠마다 반복되나요?

( 　7일　 )

✤ 일주일은 일요일부터 토요일까지 7일이므로 7일마다 반복됩니다.

❷ 이달의 토요일의 날짜를 모두 써 보세요.

( 　3일, 10일, 17일, 24일, 31일　 )

✤ 3월의 마지막 날은 31일입니다.

➜ 3일 $\xrightarrow{+7}$ 10일 $\xrightarrow{+7}$ 17일 $\xrightarrow{+7}$ 24일 $\xrightarrow{+7}$ 31일

❸ 토요일의 날짜의 합은 얼마일까요?

( 　85　 )

✤ 3+10+17+24+31=85

---

**2** 어느 해 10월 달력의 일부입니다. 이달에는 월요일이 몇 번 있을까요?

( 　4번　 )

✤ 같은 요일은 7일마다 반복됩니다.
10월의 마지막 날은 31일입니다.
10월의 월요일은 7일-14일-21일-28일로 모두 4번 있습니다.

**3** 어느 해 4월 달력의 일부입니다. 이달의 수요일의 날짜를 모두 써 보세요.

( 　6일, 13일, 20일, 27일　 )

✤ 같은 요일은 7일마다 반복됩니다.
4월의 마지막 날은 30일입니다.
4월의 수요일은 6일 $\xrightarrow{+7}$ 13일 $\xrightarrow{+7}$ 20일 $\xrightarrow{+7}$ 27일입니다.

---

## 유형 ⑤ 끝난 시각 구하기 　문제 해결

**1** 축구 경기를 시작한 시각은 2시 10분입니다. 다음을 보고 축구 경기가 끝난 시각을 알아보세요.

| 전반전 | 45분 |
| 휴식 | 10분 |
| 후반전 | 45분 |

❶ 전반전이 끝난 시각은 몇 시 몇 분일까요?

( 　2시 55분　 )

✤ 2시 10분 $\xrightarrow{45분 후}$ 2시 55분

❷ 휴식 시간이 끝난 시각은 몇 시 몇 분일까요?

( 　3시 5분　 )

✤ 2시 55분 $\xrightarrow{5분 후}$ 3시 $\xrightarrow{5분 후}$ 3시 5분

❸ 축구 경기가 끝난 시각에 맞게 시곗바늘을 그려 넣으세요.

✤ 3시 5분 $\xrightarrow{45분 후}$ 3시 50분

---

**2** 뮤지컬 공연이 4시에 시작되었습니다. 다음을 보고 2부 공연이 끝나는 시각을 구해 보세요.

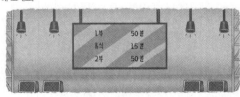

| 1부 | 50분 |
| 휴식 | 15분 |
| 2부 | 50분 |

( 　5시 55분　 )

✤ 4시 $\xrightarrow{50분 후}$ 4시 50분 $\xrightarrow{10분 후}$ 5시 $\xrightarrow{5분 후}$ 5시 5분
$\xrightarrow{50분 후}$ 5시 55분

**3** 피구 경기가 1시에 시작되었습니다. 다음을 보고 피구 경기가 끝나는 시각을 구해 보세요.

| 전반전 경기 시간 | 40분 |
| 휴식 시간 | 15분 |
| 후반전 경기 시간 | 40분 |

( 　2시 35분　 )

✤ 1시 $\xrightarrow{40분 후}$ 1시 40분 $\xrightarrow{15분 후}$ 1시 55분 $\xrightarrow{5분 후}$ 2시
$\xrightarrow{35분 후}$ 2시 35분

### 유형 6  열리는 기간 구하기  창의·융합

정답과 풀이 15쪽

**1** 얼음 축제를 하는 기간은 며칠인지 알아보세요.

얼음 축제

시: 1월 17일
~ 2월 15일

장소:
열: 1월 17일
~ 2월 15일

❶ 1월의 마지막 날은 며칠일까요?

( 31일 )

❷ 1월 17일부터 1월의 마지막 날까지는 며칠일까요?

( 15일 )

✧ 1월 17일부터 1월 31일까지는 15일입니다.

❸ 2월 1일부터 2월 15일까지는 며칠일까요?

( 15일 )

✧ 2월 1일부터 2월 15일까지는 15일입니다.

❹ 얼음 축제를 하는 기간은 며칠일까요?

( 30일 )

✧ 15+15=30(일)

70 · Jump 2-2

**2** 발명품 전시회를 하는 기간은 며칠일까요?

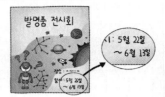

발명품 전시회

시: 5월 22일
~ 6월 13일

장소:
발: 5월 22일
~ 6월 13일

( 23일 )

✧ 5월의 마지막 날은 31일입니다.
5월 22일~5월 31일 ➡ 10일
6월 1일~6월 13일 ➡ 13일
따라서 발명품 전시회를 하는 기간은 10+13=23(일)입니다.

**3** 영화 축제를 하는 기간은 30일입니다. 축제가 끝나는 날짜는 8월 며칠일까요?

영화 축제

시: 7월 20일
~ 8월 □일

장소:
발: 7월 20일
~ 8월 □일

8월 18일

✧ 7월은 31일까지 있습니다. 7월 20일부터 31일까지는 12일입니다.
12+□=30 ➡ 30-12=□, □=18

4. 시각과 시간 · 71

---

72쪽 ~ 73쪽

### 사고력 종합 평가

정답과 풀이 16쪽

**1** 다음은 거울에 비친 시계의 모습입니다. 이 시계가 나타내는 시각은 몇 시 몇 분일까요?

( 2시 35분 )

✧ 짧은바늘이 2와 3 사이를 가리키므로 2시, 긴바늘이 7을 가리키므로 35분입니다.
따라서 이 시계가 나타내는 시각은 2시 35분입니다.

**2** 혜미는 45분 동안 운동을 했습니다. 1시 40분에 운동을 시작했다면 운동이 끝난 시각은 몇 시 몇 분일까요?

( 2시 25분 )

✧ 1시 40분 $\xrightarrow{20분 후}$ 2시 $\xrightarrow{25분 후}$ 2시 25분

**3** 다음은 거울에 비친 시계의 모습입니다. 이 시계가 나타내는 시각은 몇 시 몇 분 전일까요?

( 7시 15분 전 )

72 · Jump 2-2

✧ 짧은바늘이 6과 7 사이를 가리키므로 6시이고, 긴바늘이 9를 가리키므로 45분입니다. 따라서 이 시계가 나타내는 시각은 6시 45분이고 7시 15분 전입니다.

**4** 오른쪽 시계가 나타내는 시각에서 30분이 지난 시각은 몇 시 몇 분일까요?

( 2시 10분 )

✧ 1시 40분에서 긴바늘이 작은 눈금으로 30칸만큼 움직이면 2시 10분입니다.

**5** 민지네 가족이 캠핑장에 도착한 시각과 캠핑장에서 나온 시각을 나타낸 것입니다. 민지네 가족이 캠핑장에 있었던 시간은 몇 시간 몇 분일까요?

 오전 9시    오후 5시 30분

( 8시간 30분 )

✧ 오전 9시 $\xrightarrow{8시간 후}$ 오후 5시 $\xrightarrow{30분 후}$ 오후 5시 30분
따라서 캠핑장에 있었던 시간은 8시간 30분입니다.

**6** 뮤지컬 공연이 3시에 시작되었습니다. 다음을 보고 후반 공연이 끝나는 시각을 구해 보세요.

| 전반 공연 시간 | 50분 |
| 휴식 시간 | 20분 |
| 후반 공연 시간 | 50분 |

( 5시 )

✧ 3시 $\xrightarrow{50분 후}$ 3시 50분 $\xrightarrow{10분 후}$ 4시 $\xrightarrow{10분 후}$ 4시 10분
$\xrightarrow{50분 후}$ 5시

4. 시각과 시간 · 73

정답과 풀이 19쪽

**7** 어느 해 12월 달력의 일부입니다. 현우의 생일이 12월 30일 때 현우의 생일은 무슨 요일일까요?

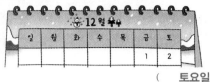

( **토요일** )

❖ 30일은 30−7=23(일), 23−7=16(일), 16−7=9(일),
9−7=2(일)과 같은 요일인 토요일입니다.

**8** 다음을 읽고 종수의 생일은 몇 월 며칠인지 구해 보세요.

> • 혜주의 생일은 4월 마지막 날입니다.
> • 종수는 혜주보다 10일 먼저 태어났습니다.

( **4월 20일** )

❖ 혜주의 생일은 4월의 마지막 날이므로 4월 30일입니다.
종수는 혜주보다 10일 먼저 태어났으므로 종수의 생일은
4월 30일에서 10일 전인 4월 20일입니다.

**9** 1시간에 2분씩 빨라지는 시계가 있습니다. 이 시계의 시각을 오늘 오전 8시에 정확하게 맞추었습니다. 오늘 오후 2시에 이 시계가 나타내는 시각을 구해 보세요.

( 오전 , ⊙오후 ) 2 시 12 분

❖ 오늘 오전 8시부터 오후 2시까지는 6시간입니다.
시계는 1시간에 2분씩 빨라지므로 6시간 동안 2×6=12(분)
빨라집니다. ➡ 오후 2시 12분

74 · Jump 2−2

**10** 재석이와 세호는 빵집에서 3시 10분 전에 만나기로 했습니다. 재석이가 약속한 시간보다 5분 빨리 왔다면 재석이가 도착한 시각은 몇 시 몇 분일까요?

( **2시 45분** )

❖ 3시 10분 전은 2시 50분이므로 약속 시간은 2시 50분입니다.
따라서 재석이가 도착한 시각은 2시 45분입니다.

**11** 시계의 짧은바늘이 4에서 10까지 가는 동안에 긴바늘은 모두 몇 바퀴 돌까요?

( **6바퀴** )

❖ 짧은바늘이 큰 눈금 한 칸을 움직이면 긴바늘은 시계를 한 바퀴 돕니다.
짧은바늘이 4에서 10까지 가려면 큰 눈금 6칸을 움직이므로 긴바늘은 6바퀴 돕니다.

**12** 어느 해 9월 달력의 일부입니다. 둘째 금요일에서 15일 후는 몇 월 며칠일까요?

( **9월 25일** )

❖ 9월의 둘째 금요일은 첫째 금요일인 3일에서 7일 후인
3+7=10(일)입니다.
9월 10일에서 15일 후는 9월 10+15=25(일)입니다.

4. 시각과 시간 · **75**

4 단원

---

정답과 풀이 19쪽

**13** 하준이는 친구들과 농구 경기를 3시에 시작하였습니다. 다음과 같이 경기를 한다고 할 때 후반전이 시작된 시각은 몇 시 몇 분일까요?

| 전반전 경기 시간 | 20분 |
|---|---|
| 휴식 시간 | 10분 |
| 후반전 경기 시간 | 20분 |

( **3시 30분** )

❖ 3시 $\xrightarrow{20분 후}$ 3시 20분 $\xrightarrow{10분 후}$ 3시 30분

**14** 콩 축제를 하는 기간은 며칠일까요?

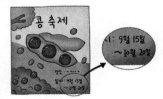

( **36일** )

❖ 9월은 30일까지 있습니다.
9월 15일에서 9월 30일까지는 16일이고, 10월 1일에서
10월 20일까지는 20일입니다. ➡ 16+20=36(일)

**15** 어느 해 11월 1일은 수요일입니다. 같은 해 12월 1일은 무슨 요일일까요?

( **금요일** )

❖ 11월의 마지막 날은 30일입니다.
같은 요일이 7일마다 반복되므로 11월 1일, 11월 8일,
11월 15일, 11월 22일, 11월 29일은 수요일입니다.

76 · Jump 2−2 ... 11월 30일은 목요일이므로 12월 1일은 금요일입니다.

[GO! 매쓰]
여기까지 4단원 내용입니다.
다음부터는 5단원 내용이
시작합니다.

**유형 ①** 표와 그래프 완성하기　문제 해결

정답과 풀이 20쪽

**1** 희철이네 반 학생 25명이 받고 싶은 선물을 조사하여 나타낸 표입니다. 물음에 답하세요.

희철이네 반 학생들이 받고 싶은 선물별 학생 수

| 선물 | 게임기 | 장난감 | 책 | 옷 | 학용품 | 합계 |
|---|---|---|---|---|---|---|
| 학생 수(명) | 8 | 6 | 5 | 4 | 2 | 25 |

❶ 조사한 학생은 모두 몇 명일까요?

( 25명 )

❷ 장난감을 받고 싶은 학생은 몇 명일까요?

( 6명 )

❖ 8+5+4+2=19(명) ➔ 25-19=6(명)

❸ 표를 보고 ∨를 이용하여 그래프로 나타내어 보세요.

희철이네 반 학생들이 받고 싶은 선물별 학생 수

| 8 | ∨ | | | | |
|---|---|---|---|---|---|
| 7 | ∨ | | | | |
| 6 | ∨ | ∨ | | | |
| 5 | ∨ | ∨ | ∨ | | |
| 4 | ∨ | ∨ | ∨ | ∨ | |
| 3 | ∨ | ∨ | ∨ | ∨ | |
| 2 | ∨ | ∨ | ∨ | ∨ | ∨ |
| 1 | ∨ | ∨ | ∨ | ∨ | ∨ |
| 학생 수(명) / 선물 | 게임기 | 장난감 | 책 | 옷 | 학용품 |

❖ 선물별 학생 수만큼 ∨를 한 칸에 하나씩 그립니다.

**2** 수지네 반 학생 24명이 좋아하는 과목을 조사하여 나타낸 표입니다. 빈칸에 알맞은 수를 써넣으세요.

수지네 반 학생들이 좋아하는 과목별 학생 수

| 과목 | 국어 | 창·체 | 수학 | 겨울 | 합계 |
|---|---|---|---|---|---|
| 학생 수(명) | 7 | 5 | 8 | 4 | 24 |

❖ 7+5+8=20(명)

➔ 24-20=4(명)

**3** 정호네 반 학생 21명이 좋아하는 채소를 조사하여 나타낸 그래프입니다. 그래프를 완성하여 보세요.

정호네 반 학생들이 좋아하는 채소별 학생 수

| 7 | | | ∨ | | |
|---|---|---|---|---|---|
| 6 | | | ∨ | | |
| 5 | | | ∨ | ∨ | |
| 4 | | | ∨ | ∨ | ∨ |
| 3 | ∨ | | ∨ | ∨ | ∨ |
| 2 | ∨ | ∨ | ∨ | ∨ | ∨ |
| 1 | ∨ | ∨ | ∨ | ∨ | ∨ |
| 학생 수(명) / 채소 | 당근 | 가지 | 오이 | 버섯 | 파프리카 |

❖ 3+2+5+4=14(명)

➔ 21-14=7(명)

**5** 단원

---

**유형 ②** 조각 수 구하기　정보 처리

정답과 풀이 20쪽

**1** 여러 조각으로 오른쪽 모양을 만들었습니다. 사용한 조각의 수를 표와 그래프로 각각 나타내어 보세요.

❶ 사용한 조각의 수를 표로 나타내어 보세요.

사용한 조각 수

| 조각 | | | | | 합계 |
|---|---|---|---|---|---|
| 조각 수(개) | 5 | 4 | 2 | 6 | 17 |

❷ 완성한 ❶의 표를 보고 ○를 이용하여 그래프로 나타내어 보세요.

사용한 조각 수

| 6 | | | | ○ |
|---|---|---|---|---|
| 5 | ○ | | | ○ |
| 4 | ○ | ○ | | ○ |
| 3 | ○ | ○ | | ○ |
| 2 | ○ | ○ | ○ | ○ |
| 1 | ○ | ○ | ○ | ○ |
| 조각 수(개) / 조각 | | | | |

**2** 여러 조각으로 모양을 만들었습니다. 사용한 조각의 수를 표로 나타내어 보세요.

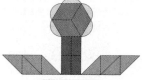

사용한 조각 수

| 조각 | | | | | 합계 |
|---|---|---|---|---|---|
| 조각 수(개) | 3 | 4 | 5 | 8 | 20 |

**3** 여러 조각으로 오른쪽 모양을 만들었습니다. 사용한 조각의 수를 표로 나타내고, ㉠과 ㉡에 알맞은 수의 합을 구해 보세요.

사용한 조각 수

| 조각 | | | | | 합계 |
|---|---|---|---|---|---|
| 조각 수(개) | ㉠6 | 2 | ㉡7 | 8 | 23 |

( 13 )

❖ 6+7=13

**5** 단원

## 유형 ③ 빈칸 채우기 <sub>추론</sub>

**1** 승주네 반 학생들이 살고 있는 마을을 조사하여 나타낸 표입니다. 사랑 마을에 사는 학생이 희망 마을에 사는 학생보다 3명 더 많을 때 가장 많은 학생이 사는 마을은 어느 마을인지 구해 보세요.

승주네 반 학생들이 사는 마을별 학생 수

| 마을 | 기적 | 사랑 | 희망 | 나눔 | 합계 |
|---|---|---|---|---|---|
| 학생 수(명) | 7 | 9 | 6 | 3 | 25 |

**❶** 희망 마을에 사는 학생은 몇 명일까요?

( **6명** )

✦ 희망 마을에 사는 학생 수를 □라 하면 사랑 마을에 사는 학생 수는 □+3입니다.

$7+□+3+□+3=25$ ➜ $□+□=12$ ➜ $□=6$(명)

**❷** 사랑 마을에 사는 학생은 몇 명일까요?

( **9명** )

✦ $6+3=9$(명)

**❸** 가장 많은 학생이 사는 마을은 어느 마을일까요?

( **사랑 마을** )

✦ $9>7>6>3$이므로
가장 많은 학생이 사는 마을은 사랑 마을입니다.

---

**2** 민재네 반 학생들이 좋아하는 과일을 조사하여 나타낸 표입니다. 귤을 좋아하는 학생은 사과를 좋아하는 학생보다 5명 더 많을 때 귤을 좋아하는 학생은 몇 명인지 구해 보세요.

민재네 반 학생들이 좋아하는 과일별 학생 수

| 과일 | 사과 | 복숭아 | 귤 | 포도 | 합계 |
|---|---|---|---|---|---|
| 학생 수(명) | 4 | 8 | 9 | 5 | 26 |

( **9명** )

✦ 사과를 좋아하는 학생 수를 □라 하면 귤을 좋아하는 학생 수는 □+5입니다.

$□+8+□+5+5=26$ ➜ $□+□=8$ ➜ $□=4$(명)
따라서 귤을 좋아하는 학생은 $□+5=4+5=9$(명)입니다.

**3** 승기네 반 학생들이 좋아하는 색깔을 조사하여 나타낸 표입니다. 노란색을 좋아하는 학생은 파란색을 좋아하는 학생보다 2명 더 많을 때 빨간색을 좋아하는 학생은 몇 명인지 구해 보세요.

승기네 반 학생들이 좋아하는 색깔별 학생 수

| 색깔 | 초록색 | 노란색 | 파란색 | 빨간색 | 회색 | 합계 |
|---|---|---|---|---|---|---|
| 학생 수(명) | 4 | | 5 | | 6 | 25 |

( **3명** )

✦ 노란색을 좋아하는 학생은 $5+2=7$(명)입니다.
빨간색을 제외한 색깔을 좋아하는 학생은
$4+7+5+6=22$(명)입니다.
따라서 빨간색을 좋아하는 학생은 $25-22=3$(명)입니다.

**5**
**단원**

---

## 유형 ④ 표와 그래프로 나타내기 <sub>정보 처리</sub>

**1** 영진이네 모둠 학생들이 가고 싶은 체험 장소를 조사하여 나타내었습니다. 물음에 답하세요.

영진이네 모둠 학생들이 가고 싶은 체험 장소

| 동물원 | 영화관 | 놀이공원 | 영화관 | 동물원 | 놀이공원 | 놀이공원 |
|---|---|---|---|---|---|---|
| 영진 | 나래 | 성훈 | 현무 | 동엽 | 희철 | 세형 |

| 놀이공원 | 영화관 | 놀이공원 | 동물원 | 영화관 | 놀이공원 | 동물원 |
|---|---|---|---|---|---|---|
| 지원 | 호동 | 보라 | 예서 | 서진 | 동혁 | 준수 |

**❶** 영진이네 모둠 학생들이 가고 싶은 체험 장소를 보고 학생들의 이름을 써 보세요.

영진이네 모둠 학생들이 가고 싶은 체험 장소

| 체험 장소 | 이름 |
|---|---|
| 동물원 | 영진, 동엽, 예서, 준수 |
| 영화관 | 나래, 현무, 호동, 서진 |
| 놀이공원 | 성훈, 희철, 세형, 지원, 보라, 동혁 |

**❷** 자료를 보고 표로 나타내어 보세요.

영진이네 모둠 학생들이 가고 싶은 체험 장소별 학생 수

| 체험 장소 | 동물원 | 영화관 | 놀이공원 | 합계 |
|---|---|---|---|---|
| 학생 수(명) | 4 | 4 | 6 | 14 |

---

**2** 진기네 반 학생들이 좋아하는 운동을 조사한 것입니다. 자료를 보고 물음에 답하세요.

진기네 반 학생들이 좋아하는 운동

| 이름 | 운동 | 이름 | 운동 | 이름 | 운동 | 이름 | 운동 |
|---|---|---|---|---|---|---|---|
| 진기 | 수영 | 윤아 | 수영 | 민호 | 수영 | 영아 | 축구 |
| 가은 | 축구 | 승기 | 농구 | 예준 | 야구 | 명철 | 농구 |
| 영주 | 농구 | 채민 | 수영 | 보미 | 농구 | 민희 | 수영 |
| 건희 | 축구 | 소진 | 축구 | 영은 | 야구 | 진형 | 축구 |
| 상준 | 야구 | 정표 | 농구 | 진호 | 수영 | 준서 | 야구 |

**(1)** 조사한 자료를 보고 표로 나타내어 보세요.

진기네 반 학생들이 좋아하는 운동별 학생 수

| 운동 | 수영 | 축구 | 농구 | 야구 | 합계 |
|---|---|---|---|---|---|
| 학생 수(명) | 6 | 5 | 5 | 4 | 20 |

✦ 운동의 종류 4가지와 합계가 들어가도록 칸을 나누어 나타냅니다.

**(2)** 완성한 표를 보고 /를 이용하여 그래프로 나타내어 보세요.

진기네 반 학생들이 좋아하는 운동별 학생 수

| 6 | / | | | |
|---|---|---|---|---|
| 5 | / | / | / | |
| 4 | / | / | / | / |
| 3 | / | / | / | / |
| 2 | / | / | / | / |
| 1 | / | / | / | / |
| 학생 수(명) / 운동 | 수영 | 축구 | 농구 | 야구 |

✦ 가로에 운동 이름을 쓸 칸을 나눈 후 /를 그립니다.

**5**
**단원**

정답과 풀이 22쪽

## 유형 ⑤ 표와 그래프 해석하기 (1) · 의사소통

**1** 동진이네 반 여학생과 남학생의 취미를 각각 조사하여 나타낸 표입니다. 물음에 답하세요.

동진이네 반 여학생들의 취미별 학생 수

| 취미 | 독서 | 게임 | 음악 감상 | 운동 | 합계 |
|---|---|---|---|---|---|
| 학생 수(명) | 3 | 3 | 1 | 2 | 9 |

동진이네 반 남학생들의 취미별 학생 수

| 취미 | 독서 | 게임 | 음악 감상 | 운동 | 합계 |
|---|---|---|---|---|---|
| 학생 수(명) | 2 | 4 | 2 | 3 | 11 |

❶ 표를 보고 ○를 이용하여 그래프로 나타내어 보세요.

동진이네 반 학생들의 취미별 학생 수

| 7 | | ○ | | |
|---|---|---|---|---|
| 6 | | ○ | | |
| 5 | ○ | ○ | | ○ |
| 4 | ○ | ○ | | ○ |
| 3 | ○ | ○ | ○ | ○ |
| 2 | ○ | ○ | ○ | ○ |
| 1 | ○ | ○ | ○ | ○ |
| 학생 수(명)\취미 | 독서 | 게임 | 음악 감상 | 운동 |

✧ 좋아하는 취미별 여학생 수와 남학생 수를 더해 봅니다.
➡ 독서: 3+2=5(명), 게임: 3+4=7(명),
음악 감상: 1+2=3(명), 운동: 2+3=5(명)

❷ 가장 많은 학생이 좋아하는 취미는 무엇일까요?

( **게임** )

✧ 가장 많은 학생이 좋아하는 취미는 ○가 가장 많은 게임입니다.

**2** 보미네 반 여학생과 남학생이 좋아하는 간식을 각각 조사하여 나타낸 표입니다. 가장 많은 학생이 좋아하는 간식은 무엇일까요?

보미네 반 여학생들이 좋아하는 간식별 학생 수

| 간식 | 떡볶이 | 피자 | 치킨 | 핫도그 | 합계 |
|---|---|---|---|---|---|
| 학생 수(명) | 2 | 3 | 3 | 2 | 10 |

보미네 반 남학생들이 좋아하는 간식별 학생 수

| 간식 | 떡볶이 | 피자 | 치킨 | 핫도그 | 합계 |
|---|---|---|---|---|---|
| 학생 수(명) | 4 | 1 | 2 | 2 | 9 |

( **떡볶이** )

✧ 좋아하는 간식별 학생 수를 더해 봅니다.
떡볶이: 2+4=6(명), 피자: 3+1=4(명), 치킨: 3+2=5(명),
핫도그: 2+2=4(명)
따라서 가장 많은 학생이 좋아하는 간식은 떡볶이입니다.

**3** 찬희네 반 학생들이 좋아하는 명절을 조사하여 나타낸 표입니다. 가장 많은 학생이 좋아하는 명절은 무엇일까요?

찬희네 반 여학생들이 좋아하는 명절별 학생 수

| 6 | | | | |
|---|---|---|---|---|
| 5 | | / | | |
| 4 | | / | / | |
| 3 | / | / | / | |
| 2 | / | / | / | / |
| 1 | / | / | / | / |
| 여학생 수(명)\명절 | 설날 | 단오 | 한식 | 추석 |

찬희네 반 남학생들이 좋아하는 명절별 학생 수

| 6 | | | | |
|---|---|---|---|---|
| 5 | | | | |
| 4 | / | / | | / |
| 3 | / | / | | / |
| 2 | / | / | / | / |
| 1 | / | / | / | / |
| 남학생 수(명)\명절 | 설날 | 단오 | 한식 | 추석 |

( **추석** )

✧ 좋아하는 명절별 학생 수를 더해 봅니다.
설날: 3+4=7(명), 단오: 4+3=7(명), 한식: 5+1=6(명)
추석: 4+4=8(명)
따라서 가장 많은 학생이 좋아하는 명절은 추석입니다.

정답과 풀이 22쪽

## 유형 ⑥ 표와 그래프 해석하기 (2) · 의사소통

**1** 어느 해 1월의 날씨를 조사하여 나타낸 것입니다. 물음에 답하세요.

1월의 날씨

| 일 | 월 | 화 | 수 | 목 | 금 | 토 |
|---|---|---|---|---|---|---|
| | | ☂1 | ☁2 | ⛄3 | ☀4 | ☀5 |
| ☀6 | ☁7 | ☀8 | ☀9 | ☺10 | ☁11 | ☁12 |
| ☀13 | ☁14 | ☺15 | ☁16 | ⛄17 | ☺18 | ☀19 |
| ☀20 | ☁21 | ☺22 | ☀23 | ☀24 | ☀25 | ☂26 |
| ☂27 | ☺28 | ☺29 | ☀30 | ☁31 | | |

☀: 맑은 날  ☁: 흐린 날  ☂: 비 온 날  ☺: 눈 온 날

❶ 조사한 자료를 보고 표로 나타내어 보세요.

1월의 날씨별 날수

| 날씨 | ☀ | ☁ | ☂ | ⛄☺ | 합계 |
|---|---|---|---|---|---|
| 날수(일) | 11 | 9 | 5 | 6 | 31 |

❷ 날수가 가장 많은 날씨는 가장 적은 날씨보다 며칠 더 많을까요?

( **6일** )

✧ • 날수가 가장 많은 날씨: 맑은 날 → 11일
• 날수가 가장 적은 날씨: 비 온 날 → 5일

➡ 11-5=6(일)

**2** 승주네 반 학생들이 좋아하는 음료수를 조사하여 나타낸 그래프입니다. 가장 많은 학생이 좋아하는 음료수는 가장 적은 학생이 좋아하는 음료수보다 몇 명 더 많을까요?

승주네 반 학생들이 좋아하는 음료수별 학생 수

| 학생 수(명)\음료수 | 1 | 2 | 3 | 4 | 5 | 6 | 7 | 8 | 9 | 10 |
|---|---|---|---|---|---|---|---|---|---|---|
| 식혜 | ○ | ○ | ○ | ○ | ○ | ○ | ○ | | | |
| 주스 | ○ | ○ | ○ | | | | | | | |
| 사이다 | ○ | ○ | ○ | ○ | ○ | | | | | |
| 콜라 | ○ | ○ | ○ | ○ | ○ | ○ | ○ | ○ | ○ | ○ |

( **7명** )

✧ • 가장 많은 학생이 좋아하는 음료수: 콜라 → 10명
• 가장 적은 학생이 좋아하는 음료수: 주스 → 3명
➡ 10-3=7(명)

**3** 지수네 학교 사랑반과 희망반의 학생들이 존경하는 위인을 조사하여 나타낸 그래프입니다. 가장 많은 학생이 존경하는 위인은 가장 적은 학생이 존경하는 위인보다 몇 명 더 많을까요?

지수네 학교 사랑반과 희망반의 학생들이 존경하는 위인별 학생 수

| 14 | | | | ○ |
|---|---|---|---|---|
| 12 | ○ | | | ○ |
| 10 | ○ | ○ | | ○ |
| 8 | ○ | ○ | ○ | ○ |
| 6 | ○ | ○ | ○ | ○ |
| 4 | ○ | ○ | ○ | ○ |
| 2 | ○ | ○ | ○ | ○ |
| 학생 수(명)\위인 | 이순신 | 세종대왕 | 신사임당 | 김구 |

( **6명** )

✧ • 가장 많은 학생이 존경하는 위인: 김구 → 14명
• 가장 적은 학생이 존경하는 위인: 신사임당 → 8명
➡ 14-8=6(명)

## 사고력 종합 평가

[1~2] 수정이네 모둠 학생들이 가고 싶은 나라를 조사하여 나타내었습니다. 물음에 답하세요.

**수정이네 모둠 학생들이 가고 싶은 나라**

| 미국 | 중국 | 인도 | 독일 | 미국 | 독일 |
|------|------|------|------|------|------|
| 수정 | 민주 | 보영 | 슬기 | 윤아 | 세준 |
| 독일 | 미국 | 인도 | 미국 | 독일 | 미국 |
| 명윤 | 유진 | 태우 | 가람 | 다슬 | 정민 |

**1** 조사한 자료를 보고 표로 나타내어 보세요.

**수정이네 모둠 학생들이 가고 싶은 나라별 학생 수**

| 나라 | 🇺🇸 | 🇨🇳 | 🇮🇳 | 🇩🇪 | 합계 |
|------|----|----|----|----|------|
| 학생 수(명) | 5 | 1 | 2 | 4 | 12 |

❖ 나라별 학생 수를 세어 표에 나타냅니다.

**2** 완성한 표를 보고 √를 이용하여 그래프로 나타내어 보세요.

**수정이네 모둠 학생들이 가고 싶은 나라별 학생 수**

| 학생 수(명) \ 나라 | 미국 | 중국 | 인도 | 독일 |
|------|------|------|------|------|
| 5 | √ | | | |
| 4 | √ | | | √ |
| 3 | √ | | | √ |
| 2 | √ | | √ | √ |
| 1 | √ | √ | √ | √ |

❖ √를 이용하여 아래에서부터 표시합니다.

90 · 2-2

**3** 세은이네 반 학생 23명이 배우고 싶은 운동을 조사하여 나타낸 표입니다. 검도를 배우고 싶은 학생은 몇 명인지 구해 보세요.

**세은이네 반 학생들이 배우고 싶은 운동별 학생 수**

| 운동 | 수영 | 합기도 | 복싱 | 검도 | 태권도 | 합계 |
|------|------|--------|------|------|--------|------|
| 학생 수(명) | 5 | 6 | 4 | 5 | 3 | 23 |

( **5명** )

❖ 5+6+4+3=18(명)
➜ 23-18=5(명)

[4~5] 슬기네 모둠 학생 14명이 좋아하는 계절을 조사하여 나타낸 그래프입니다. 물음에 답하세요.

**슬기네 모둠 학생들이 좋아하는 계절별 학생 수**

| 학생 수(명) \ 계절 | 봄 | 여름 | 가을 | 겨울 |
|------|------|------|------|------|
| 5 | ○ | | | |
| 4 | ○ | | | ○ |
| 3 | ○ | | | ○ |
| 2 | ○ | ○ | | ○ |
| 1 | ○ | ○ | ○ | ○ |

**4** 겨울을 좋아하는 학생은 몇 명일까요?

( **3명** )

❖ 5+2+4=11(명)
➜ 14-11=3(명)

**5** 가장 많은 학생이 좋아하는 계절은 가장 적은 학생이 좋아하는 계절보다 몇 명 더 많을까요?

( **3명** )

❖ ・ 가장 많은 학생이 좋아하는 계절: 봄 ➜ 5명
・ 가장 적은 학생이 좋아하는 계절: 여름 ➜ 2명
➜ 5-2=3(명)

5단원

5. 표와 그래프 · 91

## 사고력 종합 평가

**6** 여러 조각으로 오른쪽 모양을 만들었습니다. 사용한 조각의 수를 표로 나타내어 보세요.

**사용한 조각 수**

| 조각 | ▬ | ▽ | ◼ | △ | 합계 |
|------|----|----|----|----|------|
| 조각 수(개) | 6 | 2 | 1 | 4 | 13 |

[7~8] 진주가 주사위를 24번 굴려서 나온 눈입니다. 물음에 답하세요.

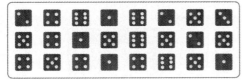

**7** 조사한 자료를 보고 표로 나타내어 보세요.

**나온 눈의 횟수**

| 눈 | ⚀ | ⚁ | ⚂ | ⚃ | ⚄ | ⚅ | 합계 |
|------|----|----|----|----|----|----|------|
| 횟수(번) | 4 | 3 | 1 | 5 | 7 | 4 | 24 |

**8** 두 번째로 많이 나온 주사위의 눈의 수는 무엇일까요?

( **4** )

❖ 7번 나온 5가 가장 많이 나온 주사위의 눈의 수이고 5번 나온 4가 두 번째로 많이 나온 주사위의 눈의 수입니다.

92 · 2-2

[9~11] 호동이네 반 학생들이 좋아하는 곤충을 조사하여 나타낸 표입니다. 매미를 좋아하는 학생은 잠자리를 좋아하는 학생보다 4명 더 많을 때 물음에 답하세요.

**호동이네 반 학생들이 좋아하는 곤충별 학생 수**

| 곤충 | 나비 | 잠자리 | 무당벌레 | 매미 | 합계 |
|------|------|--------|----------|------|------|
| 학생 수(명) | 6 | 3 | 4 | 7 | 20 |

**9** 매미를 좋아하는 학생은 몇 명일까요?

( **7명** )

❖ 잠자리를 좋아하는 학생 수를 □라 하면 매미를 좋아하는 학생 수는 □+4입니다.
6+□+4+□+4=20 ➜ □+□=6 ➜ □=3
따라서 매미를 좋아하는 학생은 □+4=3+4=7(명)입니다.

**10** 가장 많은 학생이 좋아하는 곤충은 무엇일까요?

( **매미** )

❖ 7>6>4>3이므로 가장 많은 학생이 좋아하는 곤충은 매미입니다.

**11** 표를 보고 ×를 이용하여 그래프로 나타내어 보세요.

**호동이네 반 학생들이 좋아하는 곤충별 학생 수**

| 학생 수(명) \ 곤충 | 나비 | 잠자리 | 무당벌레 | 매미 |
|------|------|--------|----------|------|
| 7 | | | | × |
| 6 | × | | | × |
| 5 | × | | | × |
| 4 | × | | × | × |
| 3 | × | × | × | × |
| 2 | × | × | × | × |
| 1 | × | × | × | × |

5단원

5. 표와 그래프 · 93

정답과 풀이 · 23

사고력 종합 평가

정답과 풀이 24쪽

**12** 가은이네 학교 사랑반과 성실반 학생들이 기르고 싶은 반려동물을 조사하여 나타낸 표입니다. 가장 많은 학생이 기르고 싶은 반려동물은 무엇일까요?

가은이네 학교 사랑반 학생들이 기르고 싶은 반려동물별 학생 수

| 반려동물 | 강아지 | 토끼 | 고양이 | 햄스터 | 합계 |
|---|---|---|---|---|---|
| 학생 수(명) | 5 | 6 | 4 | 3 | 18 |

가은이네 학교 성실반 학생들이 기르고 싶은 반려동물별 학생 수

| 반려동물 | 강아지 | 토끼 | 고양이 | 햄스터 | 합계 |
|---|---|---|---|---|---|
| 학생 수(명) | 6 | 1 | 8 | 4 | 19 |

( **고양이** )

✤ 기르고 싶은 반려동물별 학생 수를 더해 봅니다.
강아지: $5+6=11$(명), 토끼: $6+1=7$(명)
고양이: $4+8=12$(명), 햄스터: $3+4=7$(명)
따라서 가은이네 학교 사랑반과 성실반 학생들이 가장 기르고 싶은 반려동물은 고양이입니다.

[13~14] 성재네 반 학생 26명이 하고 싶은 전통 놀이를 조사하여 나타낸 그래프입니다. 물음에 답하세요.

성재네 반 학생들이 하고 싶은 전통 놀이별 학생 수

| 팽이치기 | ○ | ○ | ○ | ○ | ○ | ○ | ○ | ○ |
|---|---|---|---|---|---|---|---|---|
| 널뛰기 | ○ | ○ | ○ | ○ | ○ |  |  |  |
| 제기차기 | ○ | ○ | ○ | ○ | ○ | ○ |  |  |
| 투호 | ○ | ○ | ○ | ○ | ○ | ○ | ○ |  |
| 전통 놀이 학생 수(명) | 1 | 2 | 3 | 4 | 5 | 6 | 7 | 8 |

**13** 제기차기를 하고 싶은 학생은 몇 명일까요?

( **7명** )

✤ $8+5+6=19$(명) ➡ $26-19=7$(명)

**14** 많은 학생이 하고 싶은 전통 놀이부터 순서대로 써 보세요.

( **팽이치기, 제기차기, 투호, 널뛰기** )

✤ $8>7>6>5$이므로 팽이치기, 제기차기, 투호, 널뛰기 순서대로 학생들이 하고 싶어 합니다.

94 · Jump 2-2

[GO! 매쓰]
여기까지 5단원 내용입니다.
다음부터는 6단원 내용이 시작합니다.

---

**유형 ① 규칙 찾아 덧셈표 완성하기** 추론

정답과 풀이 24쪽

**1** 덧셈표에서 규칙을 찾아 빈칸에 알맞은 수를 써넣으세요.

| + | 0 | 1 | 2 |
|---|---|---|---|
| 0 | 0 | 1 | 2 | 3 |
| 1 | 1 | 2 | 3 | 4 |
| 2 | 2 | 3 | 4 |

❶
| | 7 | 8 | 9 |
|---|---|---|---|
| 7 | 8 | 9 | 10 | 11 | 12 |
| 8 | 9 | 10 | 11 | 12 |
| | | 12 | 13 |

❷
| | 17 | 18 | 19 |
|---|---|---|---|
| | 18 | 19 | 20 |
| | | 20 | 21 | 22 |
| | 20 | 21 |

❸
| | | | 23 |
|---|---|---|---|
| 21 | 22 | 23 | 24 |
| | 23 | 24 | 25 |
| | | 25 | 26 |

❹
| 17 | 18 | 19 |
|---|---|---|
| | | 20 | 21 | 22 |
| | 20 | 21 | 22 |
| | 21 | 22 | 23 | 24 |

✤ 같은 줄에서 오른쪽으로 갈수록 1씩 커지고, 아래쪽으로 내려갈수록 1씩 커지는 규칙이 있습니다.

**2** 덧셈표를 보고 물음에 답하세요.

| + | 2 | 4 | 6 | 8 | 10 |
|---|---|---|---|---|---|
| 2 | 4 | 6 | 8 | 10 | 12 |
| 4 | 6 | 8 | 10 | 12 | 14 |
| 6 | 8 | 10 | 12 | 14 | 16 |

(1) 위 빈칸에 알맞은 수를 써넣으세요.

(2) 덧셈표를 완성했을 때 합이 10보다 큰 곳은 모두 몇 군데일까요?

( **6군데** )

✤
| + | 2 | 4 | 6 | 8 | 10 |
|---|---|---|---|---|---|
| 2 | 4 | 6 | 8 | 10 | 12 |
| 4 | 6 | 8 | 10 | 12 | 14 |
| 6 | 8 | 10 | 12 | 14 | 16 |

➡ 합이 10보다 큰 곳은 색칠한 6군데입니다.

**3** 덧셈표를 보고 물음에 답하세요.

| + | 1 | 3 | 5 | 7 | 9 |
|---|---|---|---|---|---|
| ㉢ | 1 | 2 | 4 | 6 | 8 | 10 |
| 3 | 4 | 6 | 8 | 10 | 12 |
| 5 | 6 | 8 | 10 | 12 | 14 |
| ㉣ | 7 | 8 | 10 | 12 | 14 | 16 |

✤ $5+㉠=10$에서 ㉠=5.
$3+㉡=10$에서 ㉡=7.
$㉢+1=2$에서 ㉢=1.
$㉣+3=10$에서 ㉣=7

(1) 위 빈칸에 알맞은 수를 써넣으세요.

(2) 초록색으로 칠한 칸에 들어가는 수를 모두 더하면 얼마일까요?

( **34** )

✤ $12+8+14=34$

96 · Jump 2-2

6. 규칙 찾기 · 97

6단원

## 유형 ② 규칙 찾아 곱셈표 완성하기  [추론]

**1** 곱셈표에서 규칙을 찾아 빈칸에 알맞은 수를 써넣으세요.

❶
| 8 | 10 | 12 |
| 15 | 18 | 21 |
| 16 | 20 | 24 |

→ 16에서 4씩 커집니다.
→ 15에서 3씩 커집니다.

❷
| 24 | 30 | 36 | → 24에서 6씩
| 21 | 28 | 35 | 42 | 49 | 커집니다.
| | | 40 | 48 | 56 |
| | | | 54 | |

→ 40에서 8씩 커집니다.
→ 21에서 7씩 커집니다.

35에서 7씩 커집니다. ←

❸
| | | 48 | 54 | |
| 35 | 42 | 49 | 56 | 63 |
| 40 | 48 | 56 | 64 | |
| | | 54 | 63 | 72 |

→ 54에서 9씩 커집니다.
→ 40에서 8씩 커집니다.

❹
| 16 | 20 | 24 | → 16에서 4씩 커집니다.
| | 25 | 30 | 35 | 40 |
| 24 | 30 | 36 | 42 |
| | 35 | 42 | |

→ 24에서 6씩 커집니다.
→ 25에서 5씩 커집니다.

**2** 곱셈표를 보고 물음에 답하세요.

| × | 1 | 3 | 5 | 7 |
|---|---|---|---|---|
| 2 | 2 | 6 | 10 | 14 |
| 4 | 4 | 12 | 20 | 28 |
| 6 | 6 | 18 | 30 | 42 |

(1) 위 빈칸에 알맞은 수를 써넣으세요.

(2) ■■■으로 칠해진 수는 몇씩 커질까요?

( 8 )

✧ 4-12-20-28이므로 8씩 커집니다.

**3** 곱셈표를 보고 물음에 답하세요.

| × | ㉠ | ㉡ | ㉢ | ㉣ |
|---|---|---|---|---|
| ㉠ | 9 | 12 | 15 | 18 |
| ㉡ | 12 | 16 | 20 | 24 |
| ㉢ | 15 | 20 | 25 | 30 |
| ㉣ | 18 | 24 | 30 | 36 |

(1) ㉠, ㉡, ㉢, ㉣에 알맞은 수를 각각 구해 보세요.
㉠ ( 3 ), ㉡ ( 4 ),
㉢ ( 5 ), ㉣ ( 6 )

(2) 위 빈칸에 알맞은 수를 써넣으세요.
✧ · ㉠×㉠=9 ➡ ㉠=3
· ㉠×㉡=12, 3×㉡=12 ➡ ㉡=4
· ㉢×㉢=20, 4×㉢=20 ➡ ㉢=5
· ㉣×㉣=36 ➡ ㉣=6

---

## 유형 ③ 다음 달의 요일 알아보기  [의사소통]

**1** 어느 해 8월 달력의 일부입니다. 물음에 답하세요.

❶ 8월의 마지막 날은 며칠일까요?

( 31일 )

❷ 금요일은 몇 번 있을까요?

( 5번 )

✧ 같은 요일은 7일마다 반복됩니다.
1-8-15-22-29로 5번입니다.

❸ 셋째 수요일은 며칠일까요?

( 20일 )

✧ 같은 요일은 7일마다 반복됩니다.
첫째 수요일이 6일이므로 셋째 수요일은 6-13-⑳에서 20일입니다.

❹ 같은 해 9월 2일은 무슨 요일일까요?

( 화요일 )

✧ 8월 29일이 금요일이므로 31일은 일요일입니다.
따라서 9월 1일은 월요일, 9월 2일은 화요일입니다.

**2** 어느 해 4월 달력입니다. 같은 해 5월 20일은 무슨 요일일까요?

| 일 | 월 | 화 | 수 | 목 | 금 | 토 |
|---|---|---|---|---|---|---|
| | | | 1 | 2 | 3 | 4 |
| 5 | 6 | 7 | 8 | 9 | 10 | 11 |
| 12 | 13 | 14 | 15 | 16 | 17 | 18 |
| 19 | 20 | 21 | 22 | 23 | 24 | 25 |
| 26 | 27 | 28 | 29 | 30 | | |

( 수요일 )

✧ 4월 30일이 목요일이므로 5월 1일은 금요일입니다.
같은 요일은 7일마다 반복되므로 1-8-15-22일은 모두 금요일입니다.
따라서 5월 21일은 목요일, 5월 20일은 수요일입니다.

**3** 어느 해 11월 달력의 일부입니다. 물음에 답하세요.

| 일 | 월 | 화 | 수 | 목 | 금 | 토 |
|---|---|---|---|---|---|---|
| | | | 1 | 2 | 3 | 4 | 5 | 6 |

(1) 넷째 목요일은 며칠일까요?

✧ 같은 요일은 7일마다 반복되므로  ( 25일 )
4-11-18-25로 넷째 목요일은 25일입니다.

(2) 같은 해 12월 5일은 무슨 요일일까요?

( 일요일 )

✧ 11월의 마지막 날은 30일입니다.
같은 요일은 7일마다 반복되므로 30-23-16-9-2로
11월 30일은 11월 2일과 같은 화요일입니다.
따라서 12월 1일은 수요일이고, 12월 5일은 일요일입니다.

정답과 풀이 26쪽

유형 ④ 쌓기나무 개수 구하기 　정보 처리

**1** 규칙에 따라 쌓기나무를 쌓았습니다. 쌓기나무를 5층으로 쌓으려면 쌓기나무는 모두 몇 개 필요한지 알아보세요.

❶ 한 층 내려갈수록 쌓기나무는 몇 개씩 늘어나는 규칙일까요?
( 　2개　 )

✚ 3층에 1개, 2층에 3개, 1층에 5개가 있으므로 2개씩 늘어납니다.

❷ 위 규칙으로 5층으로 쌓으려면 1층부터 5층까지 필요한 쌓기나무는 각각 몇 개인지 구해 보세요.

5층 ( 　1개　 ), 4층 ( 　3개　 ),
3층 ( 　5개　 ), 2층 ( 　7개　 ),
1층 ( 　9개　 )

✚ 한 층 내려갈수록 쌓기나무가 2개씩 늘어납니다.

| 5층 | 4층 | 3층 | 2층 | 1층 |

1개 ─ 3개 ─ 5개 ─ 7개 ─ 9개

❸ 5층으로 쌓으려면 쌓기나무는 모두 몇 개 필요할까요?
( 　25개　 )

✚ 1+3+5+7+9=25(개)

**2** 규칙에 따라 쌓기나무를 쌓았습니다. 다음에 이어질 모양에 쌓을 쌓기나무는 모두 몇 개일까요?

( 　14개　 )

✚ 쌓기나무가 아래층으로 갈수록 1개씩 늘어납니다.
따라서 다음에 이어질 모양에 쌓을 쌓기나무는
2+3+4+5=14(개)입니다.

**3** 규칙에 따라 쌓기나무를 쌓았습니다. 쌓기나무를 첫 번째부터 다섯 번째 모양까지 쌓으려면 쌓기나무는 모두 몇 개 필요한지 구해 보세요.

(1) 쌓기나무가 몇 개씩 늘어나는 규칙이 있을까요?
( 　2개　 )

✚ 3─5─7로 쌓기나무가 2개씩 늘어납니다.

(2) 첫 번째부터 다섯 번째 모양까지 쌓으려면 쌓기나무는 모두 몇 개 필요할까요?
( 　35개　 )

✚ 3+5+7+9+11=35(개)

---

정답과 풀이 26쪽

유형 ⑤ 그림에서 규칙 찾기 　추론

**1** 동물 그림을 규칙에 따라 놓았습니다. 물음에 답하세요.

❶ 동물 그림을 놓은 규칙을 찾아 써 보세요.
규칙 예 토끼, 사자, 오리가 반복되는 규칙입니다.

❷ ㉠과 ㉡에 알맞은 동물은 각각 무엇일까요?
㉠ ( 　사자　 ), ㉡ ( 　오리　 )

✚ 토끼, 사자, 오리가 반복되는 규칙이므로 토끼 다음에는 사자, 오리 순서로 와야 합니다.

❸ 위의 그림에서 🐰는 4, 🦁는 6, 🐥는 2로 바꾸어 나타내어 보세요.

| 4 | 6 | 2 | 4 | 6 | 2 | 4 |
| 6 | 2 | 4 | 6 | 2 | 4 | 6 |
| 2 | 4 | 6 | 2 | 4 | 6 | 2 |

**2** 가위, 지우개, 연필을 규칙에 따라 놓았습니다. 15번째에 놓일 학용품은 무엇일까요?

( 　연필　 )

✚ 가위, 지우개, 연필이 반복되는 규칙입니다.

| 가위 | 지우개 | 연필 |
|---|---|---|
| 7번째 | 8번째 | 9번째 |
| 10번째 | 11번째 | 12번째 |
| 13번째 | 14번째 | 15번째 |

➡ 15번째에 놓일 학용품은 연필입니다.

**3** 포도, 사과, 귤을 규칙에 따라 놓았습니다. 물음에 답하세요.

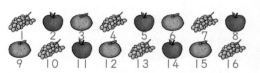

(1) 🍇는 3, 🍅는 1, 🍊은 2로 바꾸어 나타내어 보세요.

| 3 | 1 | 2 | 3 | 1 | 2 | 3 |
| 2 | 3 | 1 | 2 | 3 | 1 | 2 |

✚ 포도, 사과, 귤이 반복되는 규칙입니다.

(2) 20번째에 올 과일은 무엇일까요?
( 　사과　 )

✚
| 포도 | 사과 | 귤 |
|---|---|---|
| 16번째 | 17번째 | 18번째 |
| 19번째 | 20번째 | |

↓

20번째에 올 과일은 사과입니다.

## 유형 6  규칙 찾아 빈칸 완성하기  추론

**1** 규칙을 찾아 빈 곳에 알맞은 수를 써넣으세요.

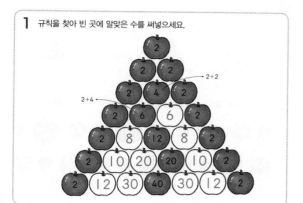

❶ 수의 규칙을 찾아 완성해 보세요.

규칙 위의 두 수를 ( 더하여 , 곱하여 ) 아래에 쓰는 규칙입니다.

❷ 빈 곳에 알맞은 수를 써넣으세요.

**2** 규칙을 찾아 빈칸에 알맞은 수를 써넣으세요.

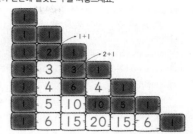

✧ 위의 두 수를 더하여 아래 오른쪽에 써넣는 규칙이 있습니다.

**3** 규칙을 찾아 빈칸에 알맞은 수를 써넣으세요.

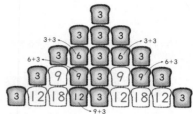

✧ 가운데를 중심으로 위의 두 수를 더하여 왼쪽은 아래 왼쪽에, 오른쪽은 아래 오른쪽에 써넣는 규칙이 있습니다.

## 사고력 종합 평가

**1** 덧셈표에서 규칙을 찾아 빈칸에 알맞은 수를 써넣으세요.

| | 30 | | 34 |
| 31 | 32 | 33 | 35 |
| 32 | 33 | 34 | 35 | 36 |
| 33 | 34 | 35 | | 37 |
| 34 | 35 | | 38 |

✧ 같은 줄에서 오른쪽으로 갈수록 1씩 커지고, 아래쪽으로 갈수록 1씩 커지는 규칙이 있습니다.

**2** 덧셈표를 완성해 보세요.

| + | 2 | 4 | 6 | 8 |
|---|---|---|---|---|
| 1 | 3 | 5 | 7 | 9 |
| 3 | 5 | 7 | 9 | 11 |
| 5 | 7 | 9 | 11 | 13 |
| 7 | 9 | 11 | 13 | 15 |

✧ 5+㉠=9 ➡ ㉠=4, ㉡+2=3 ➡ ㉡=1
   ㉢+4=11 ➡ ㉢=7

**3** 규칙에 따라 쌓기나무를 쌓았습니다. 다섯 번째 모양에 쌓을 쌓기나무는 모두 몇 개일까요?

( 25개 )

✧ 첫 번째: 1개, 두 번째: 2×2=4(개), 세 번째: 3×3=9(개),
   네 번째: 4×4=16(개) ➡ 다섯 번째: 5×5=25(개)

**4** 곱셈표에서 규칙을 찾아 빈칸에 알맞은 수를 써넣으세요.

| 4 | 8 | 12 | 16 | → 4에서 4씩 커집니다. |
| 5 | 10 | 15 | → 5에서 5씩 커집니다. |
| 6 | 12 | → 6에서 6씩 커집니다. |
| 7 | 14 | 21 | 28 | → 7에서 7씩 커집니다. |
| 16 | 24 |

8에서 2씩 커집니다.  12에서 3씩 커집니다.

**5** 곱셈표를 완성해 보세요.

| × | 3 | 4 | 5 | 6 |
|---|---|---|---|---|
| 3 | 9 | 12 | 15 | 18 |
| 4 | 12 | 16 | 20 | 24 |
| 5 | 15 | 20 | 25 | 30 |
| 6 | 18 | 24 | 30 | 36 |

✧ 3×㉠=18 ➡ ㉠=6
   ㉡×3=12 ➡ ㉡=4

**6** 규칙을 찾아 시곗바늘을 알맞게 그려 보세요.

✧ 1시 40분부터 1시간 후의 시각을 나타내는 규칙입니다.
   따라서 마지막에 올 시각은 4시 40분입니다.

# GO! 매쓰 Jump 정답

**사고력 종합 평가**

정답과 풀이 28쪽

[7~8] 어느 해 6월 달력의 일부입니다. 물음에 답하세요.

**7** 마지막 화요일은 며칠일까요?

( 28일 )

✦ 같은 요일은 7일마다 반복됩니다.
첫째 화요일은 7일이므로 7−14−21−28입니다.
따라서 마지막 화요일은 28일입니다.

**8** 달력에서 찾을 수 있는 규칙을 써 보세요.

규칙) 예 모든 요일은 7일마다 반복됩니다.
가로로 1씩 커지는 규칙입니다.

**9** 규칙에 따라 쌓기나무를 쌓았습니다. 다음에 이어질 모양에 쌓을 쌓기나무는 모두 몇 개일까요?

( 30개 )

✦ 1+4+9+16=30(개)

110 · 2-2

**10** 규칙을 찾아 세모 안에 ●을 알맞게 그려 보세요.

✦ ●이 시계 반대 방향으로 한 칸씩 이동하는 규칙입니다.

**11** 다음 그림에서 🍓는 1, 🍎는 3, 🍉은 2로 바꾸어 나타내어 보세요.

| 1 | 3 | 2 | 1 | 3 | 2 | 1 | 3 | 2 | 1 |
| 3 | 2 | 1 | 3 | 2 | 1 | 3 | 2 | 1 | 3 |

✦ 딸기, 사과, 수박이 반복되는 규칙입니다.

**12** 규칙적으로 도형을 그린 것입니다. 규칙을 찾아 빈칸에 알맞은 도형을 그리고, 빨간색, 파란색, 초록색을 이용하여 색칠해 보세요.

✦ , △, ▣ 가 반복되는 규칙입니다.
가장 바깥 도형은 빨간색, 가운데 도형은 파란색, 가장 안쪽 도형은 초록색으로 칠합니다.

6 단원

6. 규칙 찾기 · 111

---

**사고력 종합 평가**

정답과 풀이 28쪽

**13** 규칙을 찾아 빈칸에 알맞은 수를 써넣으세요.

✦ 위의 두 수를 더하여 아래 왼쪽에 써넣는 규칙이 있습니다.

㉠ ㉡ → ㉠+㉡=㉢
㉢

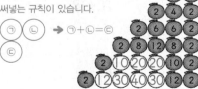

**14** 한글 자음을 규칙에 따라 놓았습니다. 규칙에 맞게 빈칸을 완성해 보세요.

✦ ㄹ, ㅂ, ㅁ이 반복되는 규칙입니다.

**15** 준호는 연결 큐브를 이용하여 자신이 만든 규칙에 따라 모양을 만들었습니다. 다음에 이어질 모양에 필요한 연결 큐브는 모두 몇 개일까요?

( 20개 )

✦ 8−12−16으로 연결 큐브는 4개씩 늘어나는 규칙이 있습니다.
따라서 다음에 이어질 모양에 필요한 연결 큐브는
16+4=20(개)입니다.

112 · 2-2

[GO! 매쓰]
수고하셨습니다.

누구나
**쉽고 재미있게**
시작하는

# 노크
## 시리즈

사고력 수학 노크(총 40권)

| PA단계(8권) | A단계(8권) | B단계(8권) | C단계(8권) | D단계(8권) |
|---|---|---|---|---|
| 7~8세 권장 | 8~9세 권장 | 9~10세 권장 | 10~11세 권장 | 11~12세 권장 |

영역별 구성

**창의력**과 **사고력**이
쑥쑥 자라는 수학 전문서

 실생활 소재로 수학의 흥미와 관심 UP!

 다양한 유형의 창의력 문제 수록

 융합적 사고력을 높여주는 구성

 초등 수학과 연계

수학 2-2

정답과 풀이

Jump

유형 사고력

Run

교과서 사고력

Start

교과서 개념